Jim Cummins, Marcel Danesi
ジム・カミンズ／マルセル・ダネシ 著
Kazuko Nakajima, Toshiyuki Takagaki
中島和子／高垣俊之 訳

新装版

# カナダの継承語教育

## 多文化・多言語主義をめざして

# Heritage Languages

## The Development and Denial of Canada's Linguistic Resources

明石書店

*HERITAGE LANGUAGES: The Development and Denial of Canada's Linguistic Resources*
by Jim Cummins and Marcel Danesi

# 目次

○凡例：
本文中、原書の注は数字のみ（例：(1)）で示し各章末にまとめて記載し、訳者による注はアステリスク付きの数字（例：(*1)）で示し各ページごとに記載した。

# 謝 辞

本書の作成にあたり、連邦政府多文化局によるトロント大学オンタリオ教育大学院への研究費補助、またカナダ・中国言語文化センターおよびカナダ・イタリア文化教育センターによる出版助成に対して深くお礼申し上げます。

またジョージ・マーテルとデヴィッド・クランドフィールドの両氏には、草稿の段階で有益なコメントと、刊行にいたるまで数々のご支援をいただきました。深く感謝いたします。また第５章のろうコミュニティのバイリンガリズムに関しては、非常に多くの方々から貴重なフィードバックをいただきました。とりわけキャロライン・エヴォルト、ネイタ・イズラリーテ、ゲーリー・マルコウスキー、パトリシア・ショアズ＝ハーマンに負うところが大きく、ここに感謝する次第です。

最後に、継承語その他の教科の先生方に、心から感謝いたします。私たちは常に先生方の実践と洞察によって励まされました。特に継承語の授業を通して、継承語に前向きに取り組むことの素晴らしさを教えてくださったメイリアン・ラム、マリア・ロペス両先生に感謝いたします。

第1章

# イントロダクション

## 言語戦争

歴史上どの時代でも、複数の言語を話す力は教養と知性の証と見られてきた。過去のエリートたちは、こぞって自分たちの子どもが二つ、あるいはそれ以上の言語を身につけるように努力してきた。今でも多くの国においてその傾向は変わらない。例えばカナダでは、1970年来、専門的職業についている中流層の親たちがフレンチイマージョン教育(*1)の導入を強く要望し、その結果、現在カナダ全国でおよそ25万人もの児童生徒がさまざまな形のフレンチイマージョン教育を受けている。また最近、ブリティシュコロンビア州の私立学校では、かつてはエキゾチックな言語と見られていた日本語を児童生徒に教えはじめたし、オンタリオ州トロント市にある私立校トロント・フレンチスクール（Toronto French School）では、フランス語に加えてロシア語やドイツ語を媒介語として授業をするというパ

[訳注]

(*1) フレンチイマージョン教育は、フランス語と英語を公用語とするカナダで始まった、イギリス系カナダ人児童生徒のための第二言語としてのフランス語教育の一形態。1967年にイギリス系保護者の運動によって、モントリオールの公立小学校で始まったが、その後カナダ連邦政府の支援によって全国に広まる。教科学習の媒介語として英語とフランス語を計画的に使用することによって、学齢期の間に英仏二言語のバイリンガルを育成するプログラムである。プログラムの開始時期やその形態によって、早期トータルイマージョン（Early Total Immersion）、パーシャルイマージョン（Partial Immersion）、中期イマージョン（Mid Immersion）、後期イマージョン（Late Immersion）などの種類がある。早期外国語教育のイマージョン方式は、もっとも成功の確率の高い、効果的な方法として米国、オーストラリア、ヨーロッパ各地の外国語教育、また消滅しつつある少数言語の再獲得教育に広く応用されている。

イオニア的教育も実践されている。一般的に言って、北米の中流層の親たちは、数ヶ国語を操るヨーロッパ諸国の児童生徒をうらやましいと思い、自分たちも同じように労なくして数ヶ国語が話せたらと願うのである。

もし一つ以上の言語ができることが個人にとっても、また社会にとっても価値のあるものであるならば、なぜ多くのカナダ人が継承語[(1)]の教育に激しく反対するのであろうか。なぜ英語とフランス語のバイリンガルを育てる教育に熱心な親たちが、税金を使って移民の子どもたちに母語を教えるのに猛反対するのであろうか。なぜトロント・フレンチスクールのような私立学校で多数の言語を教えるのは容認し、公立学校では容認しないのか。多言語主義は裕福な人々によいもので、貧しい人々には悪いものなのか。

継承語をどこまで教えるべきかという問題は、1970年半ばからカナダの連邦、州、地域の教育委員会で長年にわたって論議されてきたものである。なかでももっとも白熱した論争はトロント市で起こり、それが15年もの間社会的論争にまで発展したのである。そういう論争に火をつけた個々の事態は違っても、基底に流れる見方や前提はほとんど変わっていない。つまり争点は、カナダ社会の本質に関する二つの異なった見方であり、人口変化によって全国的に急激に広がりつつある言語的、文化的多様性に対してどのように対応するかという問題である。多様性はカナダという国の統一にとって脅威なのか、それとも、これまでの連邦政府のスローガンのように“多様性は謳歌”すべきものなのであろうか。

多様性に対する関心は何もカナダ人だけに限ったものではない。おおよそどの国においても、民族、文化、母語にかかわる問題は、精神的な冬眠から人々をよび覚まさずにはおかない。次の新聞記事は、おそらくトロント論争のもっとも激しい時期のものであるが、ヨーロッパやアメリカのマイノリティ言語論争にも通ずるところがある。

本質的には、この論争はカナダ人としてのアイデンティティをめぐる闘いのようである。われわれは文化的多様性ゆえに（国として）強くなれるのか、それとも多様性を制度化することによって弱くなるのか。しばしばこの論争は、一方では人種差別として非難されるが、他方では誤解によって妨害されたもので、実際に非難、やじ、評議員への脅迫電話などもあった。（*Toronto Star*, 1982, May 4, A16）

投書記事を読むと、トロント教育委員会の第三言語教育作業部会（Work Group on Third Language Instruction of the Toronto Board, 1982）が勧告した継承語教育の拡張に対して、いかに強い反対があったかがよくわかる。ある記者（Joan Lynn）は1982年５月のトロント・スター紙に、「移民は家族や友人たちの間で、ひっそりと自分たちの言語を維持している」、そして「もしわれわれが今よりさらに高い税金を払おうとするなら別だが、今のままでは継承語教育のような贅沢に費やすお金はないはずである」と書いている。バーバラ・スチュワートも継承語拡張に伴う財政問題に関して同じような意見を記事にしている。「財政面から言えば、確実に優先順位がある。もし報告書（Third Language Report）に書いてあるように継承語教育に使う余裕が１ドルでもあるのなら、そのお金はもっと急を要することに回すべきではないか」（*Toronto Star,* May, 1982）。また次のような疑問を投げかけた記者もいる。「移民の子どもたちは英語すらマスターしない状態で、いったいどうやってカナダ文化に溶け込むのであろうか」（Steve Gurion, *Toronto Star,* May, 1982）。

学校の通常の時間内に継承語を教えることに対する反対は、ディアパーク学校連絡委員会（Deer Park School Association）のマリオン・ハウスマン会長がトロント教育委員会に提出した文書に次のように簡潔にまとめられている。

地域コミュニティの分裂、基本科目の授業時間の削減、児童・生徒への過度のプレッシャー、学校のプログラムと教員配置の混乱、転職への準備不足、そして何よりもカナダ社会の急激な方向転換に対して、異なった背景を持ついろいろな人たちが恐怖の念を抱いている。(Johnson, 1982 より引用)

この時期の極論は、トロント・サン紙の教育欄担当ジュディ・マックリードが書いた記事である。彼女は自分のコラムに、(公立小中学校に)継承語教育を導入するためにロビー活動をする親たちを「想像力豊かなチャールズ・ディケンズによって描かれた悪魔的な人物と同じで……本当にひどい奴」(Barber, 1988, p.53 より引用)と書いている。また、学校の通常の時間内に継承語教育を可能にする議員立法の法案がトニー・グランドによってオンタリオ州議会に提出されたときにも、次のように反対している。

私はその法案をくずだと考える。左翼自由主義者の反吐が出そうな戦術は、継承語教育の反対論者全員に偏狭な人種差別主義者という烙印を押すものである。しかし、教育者たちはわれわれに繰り返しこう語っている。もっとも差し迫った問題の一つは、英語の力が十分つかないで卒業していく高校生の数が非常に多いことである、と。(*Toronto Sun*, January 19, 1987, p.18)

これら一連のトロントの継承語論争は、1988年10月にオンタリオ州政府が継承語教育を法制化したことによって生じたものである。その法律は、教育委員会に登録している小学生25人以上の親から要請があった場合、教育委員会は小学生のための継承語プログラムを設置しなければならないというものである。この継承語教育の法制化は、地域の住民から再三強い要請があったにもかかわらず、過去10年以上も継承語教育の実施を断固として拒み続けたスカーボロ教育委員会(*2)をターゲットとしたものであった。この法制化にいたるまでの論争のなかで、反対派はその理由をはっきりと投書記事で述べている。次はトロント・スター紙(1987年10月3日)に掲載されたパメラ・カークの反対意見である。

自分たちの文化的背景についての知識を十分持つように子どもを育てれば、異なる文化や異なる考え方に対してより寛容になるのでしょうか。いえ、そうとは限らないのです。スカーボロ地区に継承語教育の施行を強制する新しい法案はまったく逆効果です。なぜなら、子どもたちにそれぞれの文化的背景やイデオロギーを教えることは、カナダ人としてのアイデンティティを獲得する権利をもぎ取ることになるからです。……個人の文化的背景に対する知識は家庭に根ざすべきもので、それを教えるのは親の仕事です。財政が逼迫していてページの欠けた本を買い換えたり、音が出ないクラリネットを修理することさえままならない教育委員会に、このような仕事をゆだねるべきではないのです。（*Toronto Star*, October 3, 1987）

同じ紙面で正反対の議論が、スカーボロ地区のヒューマンサービス局の多文化・人種関係委員会（Multicultural and Race Relations Committee of Human Services of Scarborough）によってピーターソン首相宛の記事の中で展開されている。

首相、言うまでもなくあなたは一つ以上の言語を習得することから生じる数々の恩恵をご存じでしょう。単に経済的なプラス面だけではありません。心理的な達成感、そして何よりも大事なカナダ人としてのアイデンティティと誇りを捨てることなく、また妥協することなく、自らの祖先のルーツに対してアイデンティティと誇りを持つことができるのです。（*Toronto Star*, October 3, 1987）

[訳注]

(*2) トロント市の東部にあるスカーボロ市（City of Scarborough）の教育委員会。トロント周辺地区の六つの教育委員会のなかで、もっとも継承語プログラムの導入に消極的であった。1998年に六つの教育委員会が統合されたため、現在はトロント地区教育委員会（Toronto District School Board）の一部に組み込まれている。

このオンタリオ州の論争ほど立場が真二つに分かれたものはなかったが、他の州でも継承語をめぐって論争が闘わされた。例えば、継承語を年間約100時間、課外のプログラムが多いが正規の時間内でも教えているケベック州の継承語・継承文化教育プログラム（Programme d'Enseignement des Langues et des Cultures d'Origine, PELCO）(2) を見てみよう。ここ数年で、このPELCOはかなり拡張されたが、オンタリオ州の継承語教育プログラムと比べると規模ははるかに小さかった（オンタリオ州では1986年から1987年にかけて９万人以上の生徒が継承語を学習していたのに対し、ケベック州では約5000人の生徒しかいなかった）。論争が起きたのは1982年のことだった。それは、モントリオール郊外のサンローランという町にあるフランス系の公立学校でアラビア語を教えるという案件をめぐっての論争であった。フランス系カナダ人の親たちが猛然とこの案に反対したことが、グローブ・アンド・メール紙にこう報道されている（1982年11月22日、C10)。

> 二人の子どもを持つ母親スーザン・タージョンは率先してPELO（＝PELCO）に反対した。なぜなら、政府の財政逼迫の折に“贅沢な教育プログラム”と感じたからだ。継承語にお金をかけるよりは子どもたちに英語を教えてもらいたい、と彼女は言う。……「多文化主義に反対なのではない。しかし私の税金がアラブ系コミュニティに使われるのは我慢できない。ケベック州では、何よりも英語をもっと教えるべきなのだ」と、タージョンは語気を強めた。

明らかに、継承語論争は言語教育がもたらす利益などの次元をはるかに超えたものである。焦点はカナダ人のアイデンティティの本質の問題であり、カナダ社会のさまざまな構成員にとってどのような利益があるのか、その認識の問題である。一般的に、支配的立場にあるイギリス系カナダ人とフランス系カナダ人は、英仏公用語を学ぶことに熱心である。しかし、継承語教育を促進することは、自分たちにもカナダ社会全体にも、また異文化の背景を持つ子どもたちにも益することはないと見ている。そういう子どもたちは、同じ仲間の間でも、カナダ人の友達との間でも、文化と言語の垣根を作らないように英語教育に力を入れ、まずカナダ人になることが大切なのだ、と言う。つまり、継承語教育の賛成論者はバイリンガル、マルチリンガルの技能を持つことが個人にとっても社会全体にとっても価値があると主張するのに対して、反対論者は継承語は社会を分断すると同時に、過剰なコストがかかるうえ、学校言語を使って学習しなければならないマイノリティ言語の子どもたちにとって教育的に逆効果であると言うのである。

継承語教育をめぐる政治論争は伝統的な左派、右派の図式にきれいに分けられない。例えば、トロント教育委員会で、継承語教育の拡充発展を一貫して支持してきたのはアレキサンダー・チャマックであるが、彼は他の案件では保守派として知られていた。そのチャマックがトロント教育委員会の第三言語教育作業部会の副委員長であり、彼が提出した1982年３月の報告書が、前に述べた激しい反論を誘発した。そしてこの作業部会の委員長は新民主党（New Democratic Party, NDP）系の評議員アントニオ・シリポで、彼の政治的志向（継承語を除いて）はチャマックとはまったく逆であった。もう一つ継承語教育問題がいかに政治的に複雑であるかを示すことがらは、カナダの平原三州（アルバータ州、サスカチュワン州、マニトバ州）の保守的な州政府が継承語のバイリンガル教育（50％英語、50％継承語）をスタートし、継承語教育を積極的に支持したことである。実際、アルバータ州、とりわけエドモントン市の公立学校は、1970年代初めからウクライナ語、ドイツ語、ヘブライ語、イディッシュ語、ポーランド語、中国語、アラビア語のバイリンガル教育をスタートした。これに反して、オンタリオ州の自由党政権は保守的な先駆者の政策を引き継いで、英語とフランス語以外の言語による学校教育は、一時的なもの以外は許容しようとしなかったのである[3]。

同様に、継承語論争をイギリス系、フランス系主要言語グループと、政治的に弱い少数の民族文化[4]グループの利益の対立に帰することもできない。確かに継承語教育に対する反対は主に主要言語グループによってなされたが、少数言語グループのなかにも「自分たちの言語を維持しようとするのは誤った考えであって、何よりもまずカナダ人になる努力をすべきだ」と言って反対する人もいたのである。

次章から、以上のような論争の根底にある問題について分析する。第2章では、まずカナダ人のアイデンティティを構成しているものは何か、誰がそれを定義するのかという中心課題を取り上げ、継承語論争を歴史的に位置づける。第3章では連邦および州政府の多文化政策の開始と継承語教育との関係について検証する。はじめに二言語二文化主義委員会報告書の第4巻（Book IV of the Bilingualism and Biculturalism Commission）、次に1970年の連邦政府委託による継承語教育に対するカナダ人の態度に関する調査研究、そしてコミュニティレベルの継承語振興のための努力に対して公的な資金援助を慎重に開始するにいたった一連の連邦政府の政策、さらに1980年の継承語論争について詳細に論じる。第4章では、公立学校でどうして継承語教育を導入する必要があるのか、その理由を明らかにする。われわれの立場は、カナダの子どもが習得する言語が、個々の子どもの精神的、知的成長のためばかりでなく、カナダ社会全体のための有用な人的資源であると考える。第5章では、特殊な少数派言語であるろうコミュニティの子どもの言語問題を取り上げ、継承語教育が教育上どうして必要か、その理由を明らかにしたい。そして最終章では、カナダの継承語教育を他の国々と比較し、どのようにすればカナダの言語資源をより一層開発し、発展させることができるのか、また急速に変化しつつある世界の現実に対応できる新しい継承語教育はどうあるべきかについて述べる。

**◆原注**

[1] 継承語（heritage language）ということばは、通常、先住民とイヌイットの言語とカナダの公用語（英語とフランス語）以外の言語を指す。この他、“ethnic（民族語）”、

“minority”、“ancestral（先祖語）”、“third（第三言語）”、“non-official（非公用語）”なども州によって使われている。またケベック州では“langues d’origine（出自語）”と言う。オーストラリア、イギリス、ニュージーランドなどでは“community languages（コミュニティ言語）”、他の国では“mother-tongue teaching（母語教育）”という用語もよく使われる。カナダの継承語支持者のなかには継承語という用語が、子どもの教育上の発達や人間形成にとって意味のある言語習得というよりは、過去の文化遺産についての学習という意味に誤解されると懸念する人が多い。トロント教育委員会は、「継承語」という用語に対する感情的な反応を和らげるために「現代語（modern languages）」と呼んでいる。

(2) そのプログラムはもともと継承語教育プロジェクト（Projet d’Enseignement des Langues d’Origine, PELO）と呼ばれていた。

(3) 過去20年間、マイノリティ言語の児童生徒に彼らの母語を教える問題において、多くの国々で、右派と左派という政治論争との区別がはっきりしなかった。例えば、フランスではプロヴァンス語、ブレトン語、カタルーニャ語などの地域言語教育に対して、左派は長年それを、共和国が持つ理想への侮辱であり、右派のカトリックの陰謀と見た。ただし、この見方はここ10年でいくらか変わってきている。同様に、ドイツの左派の教育者は、移民労働者の子どものために母語で教える学校（例えば、バヴァリアン・モデルの学校）の存在に反対した。その理由は、これらの学校は移民が社会に溶け込むことを妨げると考えたからである。ドイツとは対照的に、スウェーデンでは労働組合や左派の学者の運動で、スウェーデンに住むフィンランド人は小学校およびそれ以降も母語による教育が重要であることを主張して反対論者を説得した。その論拠は、子どもが学力を伸ばし、スウェーデンおよびフィンランドの両社会に参加するためには、母語がまずしっかりと形成できていなければならないという理由からである。以上、明らかに矛盾するそれぞれの政治的立場については、スクトナブ＝カンガスが洞察に満ちた論評をしている（Skutnabb-Kangas, 1984, 2000）。

(4) 民族文化（ethonocultural）という用語はイギリス系カナダ人、フランス系カナダ人、および先住民以外のカナダの民族文化グループを指す。ただし、イギリス系カナダ人、フランス系カナダ人、先住民が民族的特徴を持っていないというわけではない。

# 第2章

# 多文化のベールを取ると……

## カナダ人のアイデンティティの形成

### はじめに

イギリス同化主義が徐々に弱まっていくなかで、多文化主義がイギリス系カナダ人の「アイデンティティの空洞」を埋める役割をしたというハロルド・トロパー（Troper, 1979）の説明には説得力がある。それゆえ、多くのカナダ人が自分自身を民族や文化の多様性に常に寛大であったと勘違いし、カナダの「モザイク社会」と比べてアメリカの「人種の坩堝（るつぼ）」が社会的態度としてはるかに劣っていると嘲笑するのである。アメリカから逃げてきた黒人奴隷を救う「地下鉄道」運動やカナダ全国で定期的に催される多文化の祭典などから生じる強力なイメージによって、人種差別の可能性すら、カナダ人の意識のなかで否定されてしまったのだ。

本章で述べたいことは、「儀式的な（celebratory）多文化主義」がカナダの国民精神の一部に組み込まれ、一般市民および政策担当者が心理的、政治的に満足するだけの表面的な多文化主義になっていることである。そして、多くの政策担当者の真摯な努力や多数のカナダ人の善意にもかかわらず、制度上の人種差別的社会構造が多文化主義の背後に明らかに存在することを指摘したい。このことは、言語資源の開発を促進する公的援助に関して特に顕著である。そこで、まずトロパーの分析を中心に差別の歴史を跡づけ、次に、学校の日々の活動においてどのように制度上の人種差別が入り込んでいるか、いくつか実例をあげて分析する。このような制度上の差別がいまだに存在するということこそ、過去20年にわたる“多文化主義のレトリック”が一貫性、継続性のある実質上の変化にまではいたらなかったことを示している。

## 多文化主義とカナダ人のアイデンティティ

20世紀初めの民族や言語の多様性に対するイギリス系カナダ人の一般的な態度は、少数派グループの方が自らの言語と文化を捨てて多数派であるイギリス系カナダ人に同化すべきである、というものであった。このようなイギリス追従志向は、1913年にトロントで開かれた長老派教会の大会の次の発言によく表れている。

> 問題はこうである。ドイツ人、フランス人、イタリア人、ロシア人など、カナダに送り込まれるあらゆる国籍の人々を受け入れよ。そして、アングロサクソンの特性が持続されるように、彼らをアングロサクソンの血統と混ぜ合わせ、均質の人種を作るのだ。(Harney & Troper による引用, 1975, p.110)

当然、教育は“外国人”生徒をカナダ人化する重要な手段であると見なされた。ハーニーとトロパー（Harney & Troper, 1975）によると、カナダ人化は隠れたカリキュラムではなく、学校教育すべてに浸透していたと言う。カナダ人の価値観である“時間遵守、規則正しさ、服従、勤勉、清潔、適切な服装と行動、他人の権利および法と秩序の尊重”を生徒に押しつけ、異なった価値観はすべて根絶されるべきものとされた（p.10）。

20世紀初頭に行われたカナダ人教師対象の調査（Black, 1913; Sissons, 1917; Anderson, 1918）でも、カナダ人の価値観を浸透させ英語習得を促進するためには、速やかに彼らを同化させることが望ましく、かつその母語を取り去る必要があることが強調されている。例えば、ブラックはこう結んでいる。

> 一般的に言って、英語を教えるもっとも賢明な方法は、当然ながら、しばらくの間生徒の意識から母語によるすべての記憶や思考を取り去ることである。(Black, 1913, p.106)

カナダの少数派グループのなかで、もっとも残酷な言語と文化の抑圧を受けたのは寄宿学校の先住民生徒であった。何年も家族から隔離されて、母語を話すと厳しく罰せられ、先住民の文化や宗教は軽蔑にも値しないと教えられた。そして、彼らの母語や母文化は否定され、自分の存在意義まで根こそぎにされて寄宿学校を卒業していったのだ。このような学校は1980年代まで存在していた。

同様に、カナダのケープブレトンでは、ゲール語が19世紀後半から20世紀に入ってからも抑圧されていた。ショー（Shaw, 1983）の推定では、ピーク時には約10万人ものゲール語の母語話者がいたが、地元の学校の教育方針によってゲール語は甚大な被害を被ったという。

> ゲール語に対する教育者たちの態度は、イギリス諸島で実行されていた方針を忠実に踏襲したものであった。中心となった規則は、全員――教師も含め――当時の基礎的な学校英語よりもはるかにゲール語に精通していたにもかかわらず、校舎内でのゲール語使用を禁止したのである。このような処置は、ゲール語を使って体罰を受けた体験を今でも覚えている人がいるぐらい、最近まで行われていたのである。(1983, p.74)

ワトソン（Watson, 1988）も、ゲール人の家庭文化も学校の基本的なカリキュラムに取り入れる価値がないものと思われていたし、今でもそう思われていると述べている。

連邦政府、州政府の政策として現在支持されているカナダの多文化主義は、過去のカナダ人教育者の強い同化主義志向や、今世紀の多くの政策に見られた人種差別的性格をあいまいにしてしまう傾向がある。例えば、中国人移民に人頭税が課された1885年から1967年までの“白人オンリー”の移民政策がその一例である。他にも次のような人種差別の過去がある。

◆19世紀から20世紀にかけて、大西洋四州（ノバスコシア州、ニューファンドランド州、ニューブランズウィック州、プリンスエドワードアイランド州）とオンタリオ州の黒人は、白人とは隔離されて教育を受けさせられた（Ashworth, 1988）。オンタリオ州最後の黒人学校が閉校されたのは1965年である。
◆第二次大戦前および大戦中のユダヤ人の追放（Abella & Troper, 1984）。
◆第二次大戦中の日系カナダ人に対する扱い。
◆先住民の悲惨な生活状態の放置（例：幼児の死亡率が全国平均より60%も高い）、および先住民生徒の中途退学に対する無策（例：一般カナダ人の中退率が25%であるのに対して先住民の生徒の中退率は80%）。

上記のような人種差別の歴史があったにもかかわらず、カナダがこれまでずっと隣国のアメリカより寛大でオープンな国だと考えられる傾向がいまだにある。そのことについて、トロパー（Troper, 1979）は次のように言っている。

おそらくどの国でも神話や国民的なきまり文句が必要とされるのであろう。イギリス系カナダ人の間で現在でもよく聞かれるのは、カナダの大きな特長とは長期にわたって培われてきた多文化への寛容性であるということである。……アメリカは人種の坩堝であるが、われわれはモザイクである。こういう見方によると、カナダは常に非公式に多文化政策を採っていて、長期にわたって当然のこととしてカナダ人に受け入れられていたことを1971年の政策宣言で公にしただけである。……しかし、実はこれと反対の見方の方がより現実に近い。とりわけ第二次大戦前、活力と特異性があるカナダの少数派グループが生き残れたのは、政府の政策とそれを支える国民感情があったからではなく、むしろそれらがなかったにもかかわらず達成されたものである。……民族性とは、たとえ許容されたとしても完全に同化するまでの一時的な段階であって、民族アイデンティティを長期にわたって保持するということは……国の豊かさと誇りの源泉どころか、克服すべき病と見なされたのである。(p.9)

多くのカナダ人は、人種の坩堝が意味する人種的混合、民族的混合が危険なものであるという理由で、アメリカ人が好む坩堝という比喩を非難したとトロパーは次のように指摘する。

人種の坩堝は、究極的には人種の混合を推し進め、一般通念となっているモラルを失うことを意味する、と彼らは感じた。……そこで、イギリス系カナダ人は一方的に移民の側だけが変わることを要求した。目的は、できるだけ完全に、すばやく、そして安価に、彼らをわれわれのように変えることであった。外国人は実際にはイギリス系カナダ人と混合する必要はない。あたかも混合したかのように振る舞いさえすればいいのだ。(p.9-10)

第二次大戦後、イギリスとの結びつきが徐々に弱まり、大英帝国の事実上の消滅に伴って、どの程度カナダ人がアメリカ人と違ったアイデンティティを持っているかということが不明瞭になった。トロパーによれば、“多文化主義”がそのアイデンティティの空洞を埋め、その過程において移民への過去の扱いが神話化されたのだという。

それゆえ、多文化主義が、第二次大戦の結果生まれたアイデンティティの空洞を埋めるものとして、過去の悪徳を現在の美徳にしてしまったのだ。イギリス追従が終わったことを嘆いたり、少数派グループの存続を社会の結束を脅かす脅威として追撃するよりも――前の世代ならきっとそうしたであろうが――、新しい政策でモザイク社会を誇らしげに擁護するのである。さらにアメリカと同様、カナダ国内で同化の圧力に屈せず生き残った民族アイデンティティが、アメリカとは異なったカナダ文化のユニークな要素として今や謳歌されているのだ。(Cummins & Troper, 1985, p.20)

しかし、現在の多文化主義のレトリックは、イギリス追従が水面下で連綿と続いている現実としばしば衝突する。多文化主義政策がつい最近のことであり、それ以前には強固なイギリス追従の伝統があったことを考えれば、学校を含めてカナダの社会全般において同化志向がいまだに強いことはさほど驚くことではない。マイケル・ヴァルピー(Valpy, 1989)によると、「カナダが受け入れる移民の数が多すぎるか」という世論調査の質問に対していつも大多数のカナダ人が「多すぎる」と答えていたが、最近では移民と人種差別に対する国民の危惧が最高にまで達しているという。1980年代にトロントやモントリオールなどで行われた調査でも、住宅や仕事の申し込みの際の非白人へのあからさまな差別が繰り返し指摘されている(*Currents*, Vol. 5, No. 2, April 1989 を参照)。

ただし、明るい兆しもある。それは、政府機関が人種差別を認め、人権擁護を促進するために法律上のインフラを整備しはじめたことである(例:雇用平等法、権利および自由に関するカナダ憲章、カナダ多文化主義法)。最近、国務省多文化主義・市民権担当大臣(the Minister of State for Multiculturalism and Citizenship)であるジェリー・ウェイナー氏は、これまでの連邦政府の閣僚の誰よりも率直に、カナダ社会の人種差別問題について次のように述べている。

われわれは、研究者や事実が語ることを正面から受けとめなくてはならない。つまり、国民のおよそ3分の1が——(白人優位論を提唱した、たった)一人の大学教授だけではなく——実際に人種優位論を信じているということを。そして、カナダ人のおよそ15%があからさまな人種差別をしているということを。また人種的偏向が存在するのはわれわれの警察のなかだけではない。有色人種、先住民への偏見、差別、事実上の迫害は、カナダの歴史が始まって以来、カナダ人の生活上あたり前のことであった。世界人権宣言から40年もたった1989年の今日、住居を探す黒人が、白人の三倍も入居拒否される正当な理由はどこにあるのだろうか。なぜ、白人には求人が三社もあるのに、黒人には一社だけしかないのだろうか。（Weiner, 1989, p.4）

ウェイナー大臣は、カナダ社会で一般通念となっている人種に関する神話があるという。例えば、先住民は怠け者で信頼できない、自己管理もできない。黒人は他の人種よりも犯罪に走りやすい。東アジア人はカナダ的な生き方や価値観よりも自分たちの不可解な文化や価値観に執着する。移民とは勤勉なカナダ人から職を奪い、勤勉なカナダ人が働いて支払った税金で保護されて生活するもので、彼らこそ人種差別をもたらす元凶であると（1989, p.6）。これらどの神話も実証的に論駁することができる（例えば *Currents*, Vol. 5, No. 2, April 1989 を参照）。しかし、カナダの社会のあちらこちらでこれらの神話が機能し、制度上の人種差別を作り出しているのである。

多文化主義のレトリックを実質的なものに変換することの複雑さは、次のウェイナー大臣のことばによく表れている。大臣は「われわれの社会で、もっとも長く、かつ組織的に差別をされてきたのは、われわれの社会に外から入って来た人たちではなく、われわれの先住民であった」（p.15）と述べて、カナダのすべての民族のなかでもっとも極端な人種差別を受けてきたのが先住民であることを認め、移民が人種差別を生んだのではないことを強調している。皮肉なことに、それから二週間もたたないうちに、先住民協議会（Assembly of First Nations）がグローブ・アンド・メール紙一面（1989年４月４日、Ａ面11）を使って首相宛ての手紙を掲載し、先住民の高等教育に対する連邦政府の財政カットと先住民の経済開発費の削減に対して抗議したのだ。ほぼ同時期に、先住民の学生たちは、首都オタワで大学進学支援の財政削減に反対して長期のハンガーストライキを続けていたし、連邦政府の行政機関の仕事においても、マイノリティグループが雇われる比率が低かった。

つまるところ、カナダでは隣国アメリカと違って、これまでずっと移民や異文化に寛大であったという神話を信じ込み、内面化している人が多い。カナダのモザイク社会が米国の人種の坩堝と対比されるのである。しかし現実には、先住民、黒人、アジア人に対して差別をしてきた伝統があり、アメリカや他の西洋諸国（例：イギリス、オーストラリア、ニュージーランドなど）と同じような差別の歴史があるのだ。連邦、州、地方自治体レベルの多文化政策の採択は、間違いなく人種差別の歴史を改める第一歩である。しかしながら、多文化政策は両刃の剣でもある。というのは、表面的な文化の多様性（例：エスニック料理や民族祭）を享受することによって、目立たないながら依然として強力な制度上の人種差別から人々の注意をそらしてしまうからである。それゆえ、文化的、民族的多様性に常に寛大であったという神話が、学校その他の表面的な“儀式的多文化主義”によって助長されてきたのである。

公立学校の継承語教育に対する猛反対は、多くのカナダ人が内に秘めたイギリス追従（あるいは、状況はだいぶ異なるが、ケベック州でのフランス追従）への執着を考慮すると納得できる。つまり、“多文化主義”がカナダ人のアイデンティティの表層面を形成しても、深層面では、イギリス系カナダではいまだにイギリス追従に根ざしているのである。政策にしてもアイデンティティ形成においても、“多文化主義”宣言は、多くの貴重な政策や先駆的構想の触媒として機能する一方で、人種偏見が続く現実と国民の多数派が持つ排他的な伝統にベールを被せる働きをしているのである[1]。

## カナダの学校教育における言語と制度上の差別

“制度上の差別”（institutionalized discrimination）とは、人種、性別、言語によって形成される社会集団、あるいは個人の信念、社会組織、その運営（例：教育評価の実施方法）によって正当化される社会階級間の不公平な処置や不平等な財源の分配の体系である。換言すれば、例えば学校のような、特定の組織のあり方とその組織を正当化する暗黙の前提によって、差別がもたらされたのである。トロント市の教育委員会のなかには、中学、高校の「基礎コース」(*1)(Basic level programs）に黒人生徒の占める比率が高いところがいくつかある。これなどは教育制度のなかで、学校が制度上の人種差別の機能を果たしている一例である（例：Wright & Tsuji, 1984 を参照）。

国策として全国的に多文化教育が学校教育のなかに導入されたにもかかわらず、制度上の差別が残存するため、生徒が継承語の力を伸ばす機会が妨げられている。継承語と関連する分野では、制度上の差別を助長する社会構造には、次のようなものがある。

◆ある州（例：オンタリオ州）では、継承語を授業の媒介語として使うことが法律で禁止されている。あるいは制約がある。
◆継承語教育を通常の学校の授業時間内に教えることへの法的制約がある。
◆継承語教師がトレーニングや資格認定を受ける制度がない。

[訳注]

(*1) 1999年までオンタリオ州の中等教育（中学２年から高校４年または５年まで）は、「基礎コース」、「一般コース（General)」、「上級コース（Advanced)」という三つのコースがあった。「基礎コース」は、もともと中学校２年生（Grade 8）をパスしなかったものが16歳（Grade 12）まで義務教育を受けるために、その受け皿として設けられたものと言われる。これに対して「一般コース」は高校を４年で修了する生徒のためであり、「上級コース」は５年で修了して大学へ進学するためのコースであった。現在は、高校５年プログラムが廃止され、高校１ ～ ２年（Grade 9 & 10）では、1. Academic、2. Application、3. Open の三つ、高校３ ～ ４年（Grade 11 & 12）では、1. 大学進学コース（University)、2. コミュニティカレッジコース（Community College)、3. 職業訓練（Work Place)、4. 技術見習（Skilled Trade and Apprentice）の四つに分かれている。

◆マイノリティ言語の児童・生徒の二言語使用や言語習得が、教育学部の教職課程や教育相談員（psychoeducational consultant）が履修する大学院コースで取り上げられていない。その結果、差別を助長する間違った考えが蔓延している。例えば、家庭では英語をなるべく使うようにとマイノリティ言語の親に学校教師がアドバイスをしたりする。

これらの差別構造は、マイノリティ言語を母語とする児童・生徒の言語発達に対する誤解によって支えられている。それらの間違った認識はここ数年来実質的にほとんど変わっていない。例えば、次のようなものである。

◆二言語使用はマイノリティ言語の児童・生徒の教育上、マイナスの影響を与える。
◆家庭で継承語を使用することは、英語習得と学力全体の向上の妨げとなる。
◆継承語の指導や継承語を用いたバイリンガル教育は子どもの知的発達を妨げる。
◆非標準的な英語やフランス語（例：西インド諸島のクリオール語）は標準的な言語より劣っており、非標準形は教室で使うべきものではない[(2)]。
◆英語が流暢に話せるようになれば（習いはじめてからほぼ２年以内）、標準ＩＱテストやアチーブメント・テストの使用が文化的にも言語的にも適切だというビリーフ。

上のような例は枚挙にいとまがない。これらについては次章以降で詳しく扱う。ここでは、表面的に多文化教育の目標に向かいながらも実質的にはイギリス追従に深く根ざしていることを明らかにするために、例を一つだけあげておきたい。これらの社会組織と社会通念によって、どのようにマイノリティグループの児童・生徒が差別されているかを示すためである。

## 制度上の差別とマイノリティグループ児童・生徒の心理測定

カナダの教育相談員養成課程では、標準ＩＱテストが内包する文化的偏向や、知的障害児クラスに生徒数の比率からみて３～４倍もの黒人やスペイン語系生徒がいたという1960年代後半のアメリカの事実について学習するはずである。このような比率は学校教育上の差別と評価上の差別が重なったものである。典型的なＩＱテストの質問項目には、中流層の白人生徒の経験や価値観が反映されており、マイノリティグループの児童・生徒（普通は労働者階級）が自分自身の文化特有の経験を通して得た知識は除外されている。労働者階級よりむしろ中流階級の家庭で教え込まれるものの考え方を問うものが多い（標準テストとマイノリティグループ児童・生徒に関する詳しい論評は Cummins, 1984 を参照）。次の質問は、「児童用ウエックスラー式知能テスト改訂版（WISC-R）」（1974年）の問題の一部であるが、どのような知識がこの種のテストで正当化されているかを示すよい例である。

◆誰がアメリカ大陸を発見しましたか。
◆カナダ人男性の平均身長はどのくらいですか。
◆もし店内で人の財布を拾ったとしたらどうすべきですか。
◆有名なチャリティに寄付する方が路上の物乞いにお金をあげるよりも好ましいのはなぜですか。

これらの項目に見られる文化的、社会階級的偏向は明白であるが、このテストはカナダ全国で毎日のようにマイノリティの子どもたちに実施され、その結果をもとに、知的障害児であるか、学習障害児であるか、“普通”の健常児であるかが判断されているのである。調べてみると、インフォメーション・サブテスト（上の最初の２項目）では、家庭で英語を使わない子どもの得点は予想よりもはるかに低かったという（Cummins, 1984）。具体的に言うと、得点が6点以下だった生徒がESL（第二言語としての英語の補強クラス）の生徒の70%もいたのに対して、標準グループではわずか16%、さらに、得点が3点以下だったESL生徒は3分の1以上（34%）であったが、標準グループはたった2.5%であった。他のサブテストでも同じようなパターンが見られ、ESL生徒の得点が著しく低かったのである。

カナダの政策立案者や教育関係者は、言語性ＩＱテストにはマイノリティグループの児童・生徒に対する偏見が含まれていることがアメリカのデータを通して十分わかっているにもかかわらず、この問題には最小限度の注意しか向けなかった。また過去10年間カナダの学術誌で取り上げられたこともほとんどなかったし、教育省もつい最近までこの問題を無視してきた。人種差別やマイノリティグループへの偏見は、アメリカが抱える問題であって、カナダの学校とは無関係だというような暗黙の前提があった。

オンタリオ州の特別支援教育政策を見ると、教育制度のさまざまなレベルで多文化教育政策を強く打ち出しているにもかかわらず、平等性を無視したこのような児童生徒の選別方法が存在しているのだ。1970年代後半から80年代初頭にかけて、オンタリオ州はアメリカのPL94-142法をモデルにして第82法を作った。その法律は、特殊な生徒（例：優秀な生徒、学習障害のある生徒など）を認定し、彼らのニーズに合った適切な教育を施すことを地域の教育委員会に命じたものである。アメリカの地域の教育委員会では1970年代の初めに起こった訴訟の結果、標準テストの誤用を是正することが命じられ、非差別的測定に関する条項がこのPL94-142法に盛り込まれたのである。具体的には、原則として母語で生徒の能力を測定することが義務づけられている。また70年代から80年代初めにかけて、アメリカの心理学や特殊教育の専門誌は、マイノリティグループの児童・生徒の能力測定に関する論文を多数掲載している。

だが、カナダの第82法およびその関係書類では、非差別的測定の問題が、実質上無視されている。“子どもの母語が英語やフランス語以外の場合、言語にかかわる能力の測定時期を適宜遅らせるべきである”（Ministry of Education, 1980, p.5）というような、あいまいな注意書きはあるが、なぜ“遅らせる”かについての説明もなく、マイノリティグループの児童・生徒にＩＱテストを使う危険性についても言及されていない(3)。

オンタリオ州の行政機関が、（アメリカでこのようなテストの文化的、言語的偏向について大量に報告されているにもかかわらず）心理テストによってマイノリティグループの児童・生徒が差別される可能性があることを考慮もしなかったという事実は、いかに多文化主義のレトリックが日々の学校教育の営みと無関係であったかを如実に物語っている。もし教育行政や現場の教師たちが州民の文化的、言語的多様性を十分認識していたならば、まったく異なった測定手段を取ったであろうし、また教育相談員に、二言語使用、文化的背景の多様性、非差別的な測定方法などについて正しい知識を身につけるように義務づけたであろう。例えば、マイノリティグループの児童・生徒が英語を学習しはじめて５年ぐらいの間は、典型的な言語面のＩＱテストで彼らの学力が不当に低く評価されるという研究結果（Cummins, 1984）などによって、測定方法の180度の転換が余儀なくされたはずである。もちろんこれらのテストには、社会の主要言語を習得した後でも社会階級的差別が内在していることが明白であるし、また母語での知的発達度を正しく評価するために、継承語の教師（あるいは、継承語の母語話者）がテストに参加することが望ましいという事実も否定するわけにはいかなかったはずである。

つまり、マイノリティグループの児童・生徒に対するテスト上の偏見は、解決しようとするよりも無視する方が都合がよかったのである。省庁、教育委員会の両レベルで“多文化教育”という看板を掲げているにもかかわらず、イギリス追従の全盛期に比べて心理測定の方法がより公正になったという証拠はほとんど見あたらない。もちろん教育相談員たちはテストの偏向に一層敏感になったであろう。しかし、現在カナダで起こりつつある人口構成の大きな変化やそれが特別支援教育全体に及ぼす影響を認めようとしない大きな制度上の枠組みのなかで、教育相談員たちは機能しなくてはならないのである。そして家庭や学校における二言語使用についての研究や、マイノリティグループの児童・生徒に使用する典型的な標準テストの欠点などについて、彼らが精通できるような教育システムにはなっていないのである。既存の力関係を維持するために“多文化教育”のレトリックがうまく使われてきたのである。

## 結論

過去20年の間に、多文化主義という概念がカナダ特有のものであり、アメリカとは異なるカナダのアイデンティティの一面であると考えられるようになった。それゆえ、マイノリティグループへの敵意とか組織的差別は、意識のどこかで、カナダの問題ではなくアメリカが抱える問題であると受けとめられてきたようである。このような状況で表面的な多文化主義を称揚することによって、カナダ社会に対する二つの間違った見方が生まれた。まず、⒜われわれは常にマイノリティグループに寛大でオープンであったということ、次に、⒝現在カナダの社会には、ほとんど、あるいはまったくマイノリティグループに対する差別がないということ。だが、実際は、カナダ人の信念や制度上の構造（学校を含む）は常に他の西洋諸国と同じように差別的だったのである。そして、マイノリティグループに対する人種、言語、文化に基づく制度上の差別は、以前よりも目立たなくなってはいるが、今でも存在するのだ。教育関係ではこの制度上の差別のプロセスが、マイノリティグループの児童・生徒の心理測定を行う際にはっきりと表れている。

カナダのほとんどの州では継承語教育に対する現場の教師や行政の態度が同じように二つに割れている。表層面で継承語教育を多文化教育の一面として支持する一方、深層面ではカナダ社会の現状に対する脅威、具体的に言うと圧倒的な力を持つ英語とフランス語の優位性を揺るがす潜在的脅威として、拒否するのだ。評論家たちは普通、継承語が家庭や地域の民間学校でひっそりと教えられている限りは反対意見を出さないが、継承語教育を制度化するとか、公立学校で公的資金を使って行うとなると猛反対をするのである。

次章以降で取り上げるのは、継承語振興の方針や継承語プログラムの開発において、常に政治的配慮が教育的配慮よりも優先されるという問題である。それ自体は驚くことではない。しかし、この事実が、カナダが誇る多文化主義政策の実施においてイマジネーションを欠く結果となる。言語の多様性のため、また子どもの知的発達に寄与するために、学校や地域が協力してさまざまな方法による継承語教育を後押しせずに、近視眼的な政治家たちが教育関係者を法律上の既存の殻に閉じ込め、“堅実な市民”を輩出することに専念させたのだ。したがって、もし多くの子どもたちが三つの言語（二つの公用語と継承語）が使えるようになったとしたら、それはカナダの学校制度のおかげではなく、学校制度にもかかわらず三つの言語が話せるようになったと言うべきである。そして、継承語論争において、なぜカナダのすべての子どもが、少なくともトライリンガルになって学校を卒業してはいけないのかという疑問に対して明確な教育上の説明がなされないまま、政治的配慮が優先されてしまったのである。多くのカナダ人が選んだ道は、（残念なことに）トライリンガルの道ではない。なぜならもしそうすれば、社会的地位の低いカナダの民族文化グループの知識、価値観、言語を正当化することになるし、教育制度のなかに継承語が入り込むことによって、崩壊寸前の過去の遺物であるイギリス同化主義（Anglo-conformity）がさらに弱体化されてしまうからである。

◆原注

(1) 多文化主義、多文化教育に関しては、その概念がはっきりしないことは多くの社会科学者によって指摘されている。例えば、マレア（Mallea, 1989）は次のような問題提起をしている。

多文化主義、多文化教育は、互いにある程度譲歩し合うことによって、国民が一致協力するための社会的、政治的道具なのか。多文化主義、多文化教育は、民主主義の理想を実現するために考案されたものなのか、それとも社会的規制の変形なのか。多文化教育政策は、知識によって偏見や差別が減少するということを前提にしているのか。制度的、構造的、個人的レベルで人種差別をなくすことができないにもかかわらず、文化の違いを認め正当化しようとするのか。あるいは、一部の人が主張するように制度的、構造的不平等はそのままにしておく一方で、従属させられるマイノリティグループの問題を“研究すべき対象”として扱い、神話化し続けようとするのか。(p.114)

(2) ランファル(Ramphal, 1983, 1985)は、西インド諸島のクリオール語に対する教師の誤解がどのように子どもの読む能力の発達に悪影響を及ぼすかということについて優れた議論を展開している。

(3) 近年教育省はこの問題に以前よりも関心を向けるようになった。しかし、今日まで具体的な行動はほとんどとられていない(Samuda et al., 1989 を参照)。

# 第3章

# アンビバレンスの容認
## 多文化主義から多言語主義へ

カナダ連邦政府は、分離・独立気運の高まるケベック問題に対処すべく、1963年、Ｂ＆Ｂ委員会（the Royal Commission on Bilingualism and Biculturalism）を設置し、その目的を次のように説明している。

二言語主義、二文化主義の実態を調査し、カナダの繁栄に対する他の民族の貢献も認めつつ、二つの建国民族（フランス系カナダ人とイギリス系カナダ人）の対等なパートナーシップに基づいたカナダ連邦の発展のために、どのような措置を取るべきか、またそれを保持するために何をするべきかについて勧告するためである。（1966, p.151）

“他の民族”、とりわけウクライナ系カナダ人は、多文化主義こそカナダ人のアイデンティティの中心に据えられるべきものであると強く主張した。Ｂ＆Ｂ委員会はこの意見を受け入れ、1971年10月８日、トルードー首相が“二言語主義の枠内における多文化主義”政策を宣言するにいたったのである。この政策はこれまで通り公用語は二つ（英語とフランス語）だが、公式の文化は存在せず、どの民族グループの文化も他の民族グループの文化に対して優位に立つことはないというものである。

Ｂ＆Ｂ委員会報告書第４巻は、言語の多様性がカナダ全体にとっていかに重要か次のように記している。

出生や祖先の違いによる異言語、異文化の存在は、カナダを限りなく豊かにするものであり、決して失ってはならないものである。多数派文化は少数派文化の影響を受けてこそ栄える。言語の多様性がカナダの利点であり、その多様性によって計り知れない恩恵を被ることは疑う余地がない。(1970, p.14)

Ｂ＆Ｂ委員会は、カナダの言語資源を開発しかつ活用すべく、いろいろな方策を検討するように教育者たちに勧告しているが、同時に、継承語の振興がフランス語と英語を犠牲にしてまでなされるべきではないという警告も発している。

1970年代の初めには、多文化主義を公認することが具体的にどのような政策なりプログラムなりを意味するかということについて政策立案者たちが明らかにしようと試みている。とりわけ多文化主義と非公用語の振興との関係が不明瞭であった。少数派言語グループは言語抜きの"文化"は抜け殻同然、多文化主義には何らかの形の多言語主義が含まれるべきであると主張した。これに対して、英語、フランス語以外の少数言語の振興は民族間の壁を作ることになるため、逆に多文化主義のアンチテーゼになってしまうという危惧の声もあった。

多文化主義政策は大筋少数言語グループには高く評価されたが、一部にはその"ぬぐいきれないあいまいさ"を指摘する者もいた。例えば、ルプル(Lupul, 1981)は、その政策をある種の"政治的プラグマチズム"と呼んで次のように述べている。

……(多文化)政策と真剣に取り組もうとした人たちはみな失望させられた。言語を基盤としない多文化主義という点でウクライナ系カナダ人を立腹させたし、逆に、言語と文化の結びつきを弱めてしまったということでフランス系カナダ人を怒らせた。彼らは自分たちの文化が他の民族文化と同等の立場に置かれることを何よりも嫌っていたからである。(1981, p.12-13)

多文化主義と多言語主義の政治的立場を明らかにするため、連邦政府は二つの大規模な全国調査を委託した。一つは、『非公用語の研究（*Non-Official Languages Study*）』（O'Bryan, Reitz & Kuplowska, 1976）、もう一つは『多数派カナダ人の態度の研究（*Majority Attitude Study*）』（Berry, Kalin & Taylor, 1977）である。

『非公用語の研究』によると、調査の対象となった10の言語グループの多くが子どもに継承語を教えることに取り組んでおり、もし母語継承を目的とするのであれば、どうしても公的な支援が必要だと感じていることがわかった。また、世代間において急速に継承語が失われつつあることも明らかにされた。実際、継承語の喪失が職業上の差別や教育の機会均等よりもずっと深刻な問題として各言語グループに受けとめられていることもわかったのである。オブライアンらは「少数派言語グループが継承語を公立学校、特に小学校のカリキュラムに取り入れて継承語を使って教育を行うことを、非常に強く、明確に支持している」（1976, p.176）と言っている。そして、継承語維持の主な責任が親にあるということを多くの回答者が認めてはいるものの、世代間で急速に継承語が失われるという事実は、親がその責任をきちんと果たすことができないことを意味する。実際「言語を保持するという仕事は、おそらく親の手を超えたものなのであろう」（1976, p.176）とオブライアンらは言う。

『多数派カナダ人の態度の研究』では、イギリス系カナダ人もフランス系カナダ人も文化的多様性という概念に対して、ある程度前向きの態度を持っていることがわかった。しかし、それは、民族祭やコミュニティセンターなど、形で示すことができる文化的多様性であり、学校で継承語を教えたり、テレビやラジオの放送で継承語を使ったりするというようなことへの支持ではなかった。事実、継承語教育と継承語放送番組に関しては、わずかではあるが反対する声もあった。また“多文化主義（multiculturalism）”という概念に対してもっとも強い拒否反応を初期の段階で示したのは、ケベック州の学者や政策立案者たちであった。彼らは

“多文化主義”こそ、自分たちの文化をイギリス系カナダ人の支配下にある少数言語グループの地位にまで引き落とそうとする（政治的）陰謀だと見なしたのである（Rocher, 1973）。

多文化主義の概念に対するケベック州の反対にもかかわらず、これら二つの全国調査の結果は、民族学、異文化間コミュニケーション、舞台芸術などの分野ですでに進行中であった多文化主義への取り組みを支持するものと解釈された。また『非公用語の研究』は、少数言語グループの継承語教育を支援する、連邦政府多文化局（Multiculturalism Directorate）の文化促進プログラム（Cultural Enrichment Program）の設立（1977年6月）に影響を与えたのである。しかし、連邦政府の文化促進プログラムが立ちあがったころには、すでにこれと並行して州レベルの継承語支援プログラムが実施されていた。平原三州では少数言語コミュニティが運営する継承語プログラムや公立学校のなかでの継承語によるバイリンガル教育が行われていたし、オンタリオ州では同じ月にオンタリオ州政府による継承語プログラムの開設が発表されている。ケベック州でも、このときまでにはすでに、州政府がコミュニティ運営の継承語学校と学校教育のなかでの継承語プログラムを支援していたのである。ケベック州の支援は、異言語グループ間の相互容認とコミュニケーションの促進を意図するが、必ずしもすべてのグループが対等であるということは意味しないという、“異文化間交流主義（interculturalism）”政策の一環として行われたものである。

このように、多くのイギリス系カナダ人とフランス系カナダ人のアンビバレンス（互いに矛盾する感情や評価）にもかかわらず、連邦政府、そしていくつかの州政府によって、多文化政策の一環として継承語の促進は位置づけられ、1977年までにはその第一歩を踏み出していたのである。

その後10年間、継承語教育への支援は連邦政府、州政府の両レベルで徐々に拡大されていった。もっともその動きは熱心な継承語擁護者が期待していたほど速くはなかった。連邦政府レベルでは、1988年にカナダ多文化主義法（Canadian Multiculturalism Act）が制定されたし、カナダ継承語研究所（Canadian Heritage Languages Institute）が1990年までに大型基金によってアルバータ州エドモントン市に設立されることになっていた[1]。1977年に連邦政府の多文化促進プログラムが公表されて以来、コミュニティグループ運営の継承語学校の在籍児童生徒数が増え続け、1989年9月のカナダ継承語研究所設立の発表の折には、ジェリー・ウェイナー多文化主義担当大臣が、全国の継承語学校が擁する児童生徒数は12万9000人、継承語の数は60言語に及ぶと報告している。

州レベルでも、ケベック州、オンタリオ州、平原三州で継承語教育に大きな進展が見られた。以下、まずケベック州、オンタリオ州、平原三州の状況について触れ、次に大西洋岸四州、ブリティシュコロンビア州の状況について述べる[2]。

## ケベック州における継承語プログラムの台頭

その後10年間、ケベック州でもまた他の州でも、州民の関心事は州内のイギリス系（ケベック州では少数派）カナダ人の教育権問題に集中しており、これとの関連で他の少数派言語グループの子どもの教育問題が話題になった。1977年に制定されたフランス語憲章（Charter of the French Language 法案101号）によって、イギリス系学校に通う権利が子どもの父親か母親かがケベック州内で英語を使って初等教育を受けた者のみに限定されたため、ほとんどの少数派言語グループの子どもがイギリス系学校に通学できなくなったのである。予想通りこのことに対する少数派言語グループの抗議はすさまじく、かなりの数の児童生徒（主にイタリア系、約1200人）が法律を無視してイギリス系学校に通い続けた。

しかし、法案101号[*1]に対する不満の声は、最近非フランス系カナダ人よりもむしろフランス系カナダ人の方からあがっている。以前はフランス系児童生徒がほとんどを占めていた学校が文化的にも言語的にも急に大きく多様化したからである。フランス語が唯一の学校言語であることに変わりはないが、廊下や運動場ではさまざまな言語が飛び交っている。この事実を、ケベック州の文化や言語に対する脅威と見なす人たちもケベック人のなかにはいたのである。今後州の低出生率を補うために移民が増加す

[訳注]

(＊1) 法案101号（Bill 101）。1977年にフランス系カナダ人が大多数を占めるケベック州の、カナダからの独立を究極的な政治目標としてかかげるパルティ・ケベッコワ/ケベック党（Parti Quebecois）によって、ケベック州議会で制定されたThe Charter of the French Languageというケベック州の法律の立法過程での呼称が定着したもの。具体的には、

1）州内で弁護士、医師、歯科医、エンジニア等の資格取得の条件として厳しいフランス語の試験に合格することを義務づけること。

2）50人以上の従業員のいる事業所／ビジネスは原則的にフランス語で経営、運営すること。

3）企業と労働組合との間の労使協約はフランス語で書くこと。

4）州議会や州裁判所での英語使用を制限すること。

5）州内のビジネス／商店／レストラン等の看板（commercial signs）にはフランス語のみを使用すること（英語使用を禁止）。

6）州内の英語での学校教育はイギリス系の両親を持つ子女のみに例外的に許され、移民子女を含むその他の州民の子女はフランス語で学校教育を受けなければならないこと。

上記のうち特に5）と6）の条項はケベック州内のみならずカナダ国内で激しい政治論争を引き起こした。その後、4）は1979年のカナダ最高裁判所の判決で憲法133条違反で違憲。6）は1982年にカナダ人権憲章（Canadian Charter of Rights and Freedoms）が憲法の一部として採択された後、その23(1)(b)条である、カナダで英語の学校教育を受けたカナダ国民は、その子女に英語の学校教育を受けさせる権利がある、という規定に反するとして問題になり、正式には1984年のカナダ最高裁判所の判決で新人権憲章23(1)(b)条に合致するよう改正することが命じられた。5）は1988年に同じくカナダ最高裁判所の判決で、憲法が謳う表現の自由（Freedom of Expression）に違反するとして違憲とされたが、時のケベック州首相であるブロックは、カナダ憲法に含まれるケベック州の特権／免除条項をたてに、一部字句修正したうえで同内容で再度立法化。ただし1993年には、屋外の看板については、フランス語が主体であるかぎり英語も加えてかまわない、と再度修正された。

なお、上記の改正、修正は行われたものの、法案101号はフランス語を自立した有用な言語（viable language）として維持しようとするケベック州の政治的意思の象徴として現存している。

ることは必至であり、このような急速な多様化に州民がどう適応していくか一層の論議を呼ぶことになりそうである。

次のような政治的事件はそのよい例である。それはモントリオール・カトリック学校委員会（Montreal Catholic School Commission）が生徒、保護者を対象に行った調査が引き金となって起こったケベック州の教育問題に関する論争である。原案の調査項目には、次のような質問が含まれていた。「あなたは、純粋なケベック人のための学校、少数言語グループの子どものための学校、あるいは両方を半々にミックスした学校を別々に作ることに賛成しますか、あるいは現状のままでいいと思いますか」。グローブ・アンド・メール紙はこの論争について次のように報じている。

> 親に“少数言語系”学校と、“純粋ケベック系”学校とを分離すべきかどうか質問したモントリオール・カトリック学校委員会の調査は、少数派民族グループや大学関係者の怒りを買った。……教育省のクロード・ライアン大臣は即刻……その調査を非難して「ケベック人に種類はない」と言った。だが、モントリオール・カトリック学校委員会のジャン・トロティエ副委員長は、そのような非難は「見当違いである」。なぜなら「委員会は回答者の外国人への嫌悪感を助長しようとする意図もなければ、分離学校設置に賛同するつもりもないからである」。学校における“民族性”は重要な課題であり、それを取り上げないのは逆に馬鹿げたことであって、「親がもっとも関心を寄せていることなのだから、われわれは学校制度における民族性の問題を避けて通るわけにはいかないのだ」と反論した。（Picard, 1989, p.A17）

その質問項目は、多くの論議を巻き起こし、全国的に報道された後、調査項目から削除された。

しかしこの問題に対する親の関心は、ケベック州政府が移民の比率を従来の17％から25％に引き上げる計画を立てていることから見ても、間違いなく高まることが予想される。このような移民措置は、出産適齢期の女性の出生率が1.47人ときわめて低いことから生じる人口減少に歯止めをかけるために導入されたものである（Malarek, 1989）。1987年の統計では、州移民の27％は英語のみを話し、23％はフランス語のみ、13％は英仏バイリンガル、そして36％以上が英語もフランス語も話せない移民だという。ケベック社会がかつてない文化的、言語的多様性に直面してどうなるかということに関して、マラレックは次のように述べている。

> 移民増加の見通しは州内の論争を引き起こした。独立主義者は移民がケベックの古い血統、すなわち 'Quebecois de vieille souche'――白人、カトリック、何世代も経たケベック住民――の血を薄めるものだと主張する。公の場でそのような発言をする人は少ないが、現況の移民増加が人種不和をもたらし、人種的均一性を脅かす存在であると密かに恐れているケベック人は少なくない。（Malarek, 1989, p.A9）

モントリオールの人種関係リサーチ・アクション・センター（Centre for Research Action on Race Relations）の館長フォー・ニアミによると、最近の傾向として若いケベック人は文化的多様性に関して、英語という言語が使用されないかぎりにおいて、年配のケベック人と比べてよりオープンだと言う（Malarek, 1989 より引用）。またケベック社会の矛盾を指摘して「非フランス系カナダ人を統合してケベック社会の一部にしなければならないにもかかわらず、彼らに完全にはフランス系ケベック人になってもらいたくないのだ。これは“われわれが先にここに来て、彼らが後から来た”という態度に由来するものである」と言っている（Malarek, 1989, p.A9）。州の少数派民族グループのリーダーたちも、州政府の（移住者）統合政策にもかかわらず公的機関の職を占める少数派民族グループの割合が低すぎるという矛盾を指摘している（例えば、非フランス系白人はケベックの人口の12％も占めているのに、州政府機関の職員には4.3％しかいない）。

少数派言語グループの教育に関して、以上のような文化的多様性に対するアンビバレントな態度にもかかわらず、また、あくまでもイギリス系カナダ人に主眼が置かれているにもかかわらず、過去10年の間に数々の政策やプログラムが打ち出された。1981年、ケベック州政府は（少数派）文化コミュニティのための行動計画を発表した。それは〈文化コミュニティと移民省〉（Ministry of Cultural Communities and Immigration）によって作成された“すべてのケベック人のために”（Autant de Facons d'Etre Quebecois）と呼ばれるものであった。この計画の大きな目標は次の三点である。

- ◆文化コミュニティの存続と発展を、その独自性とともに保障すること。
- ◆文化コミュニティもケベック州の共有文化遺産の形成に貢献していることをフランス系ケベック人が認識すること。
- ◆特に公職などこれまで不当に採用率の低かった分野において、文化コミュニティがケベック社会に統合されるように支援すること。

非フランス系に対するケベック州政府の意図はいくつかの公文書で明らかである。まずフランス語をケベック州の共通言語とすること。ということは、非フランス系カナダ人が全面的に社会参加が可能になるように、フランス語未習得の住民にはフランス語の学習支援をするということである。過去、少数言語グループはどちらかと言うとイギリス系カナダの方に同化する傾向があった。それは北米では英語の利用度が高いということもあるが、同時に「フランス系カナダ社会が過去の生存をかけた闘いを通してある種の排他主義を身につけているため、外国人は受け入れてもらえなかったからである」（Gouvernement du Québec, 1981, p.10）。それゆえ、最近の州政府の政策は、障害となる言語的、文化的、人種的な壁を排除して少数文化コミュニティを受け入れ、全面的な社会参加を可能にすると同時に、彼らの文化をもそのまま受け入れようとするのだという。

自らの言語と文化のバイタリティを守っていきたいという熱い思いをケベック人自身も共有しているためか、公文書でも少数派民族コミュニティの願望に対してかなりの配慮と同情を示している。しかし同時に、ケベック人の多くが、たとえ何世代も経ている移民でさえ「本当のケベック人」と見なそうとしないということも上の公文書で明らかである。さらに、ケベック州ではフランス語とフランス文化の優位性を主張する声が強い。例えば、アメリカの“人種の坩堝”という概念を拒否することが必ずしも多文化主義を意味しないと、次のように主張している。

> ケベック社会が“カナダのモザイク理論”として提唱される多文化主義をそのまま採択する必要はない。ケベック州の少数民族グループの発展は、多数派のフランス系社会のバイタリティを結集することによって成し遂げられるものである。ちょうど樹木の幹と根がすべての枝ばかりでなく接木までも養い育てるように……もし少数民族グループの一人一人が……ケベック文化の発展のために独自のユニークな貢献をしていることを認識しさえすれば、フランス系カナダへの同化を避けることができるのだ。(Gouvernement du Québec, Ministère des Communautés Culturelles et de l'Immigration, 1981, p.12)

以上のような多元志向の宣言に沿って、ケベック州政府は活発に継承語と継承文化の維持伸張を進めた。この目的を達成するための教育プログラムは、主に次の三つであった。第一は私立の民族学校への支援、第二は継承語・継承文化教育プログラム(Programme d'Enseignement des Langues et des Cultures d'Origine, PELCO)、第三は民族言語プログラム(Programme des Langues Ethnique, PLE)である。

### ◉私立(民族)学校

ケベック州にはおよそ30の私立の全日制民族学校があり(主にユダヤ系だが、ギリシャ系やアルメニア系の学校もある)、その運営費の約八割が州政府によって補助されている。これらの学校は私立のイギリス系、フランス系学校と同じ扱いを受けており、ユダヤ系学校で行われた研究調査によると、三つのことばの語学力を育成するうえで非常に効果をあげているという（Genesee, Tucker, & Lambert, 1978a, 1978b を参照）。

### ◉継承語・継承文化教育プログラム（PELCO）

1977年に継承語教育プロジェクト（PELO）として始まったPELCOは、継承語を公立の学校で年間約100時間教えるプログラムである。授業は毎日30分で、通常は授業時間外に行うが、場合によっては学校の正規の時間内に行うところもある。州教育省は教員の給料や教材費を支払い、カリキュラムや指導マニュアルを言語ごとに作成している。また教員研修のためのワークショップを定期的に開いて、プログラムの実施の支援をしている。PELOはフランス系公立学校でしか実施されなかった時期もあったが、1982年以降は、イギリス系、フランス系、両方の学校で実施可能となった。1986年から1987年にかけて、PELCOでは12の言語を4924人の生徒が学習していたと言われる（カナダ民族文化委員会 Canadian Ethnocultural Council, 1988）。

法案101号をめぐる論争によって、当然のことながら少数派言語グループは当初そのプログラムの背後にあるケベック政府の意図に疑念を持つ傾向があり、否定的な態度を取る教師や校長が多かった。また少数派言語グループのリーダーたちのなかには、PELCOが票集めのための政治的陰謀であるとして非難するものもおり、少数派民族グループの手から言語と文化の継承に関する支配権を取り上げるものであると抗議した。そして、少数派言語グループの親たちは、普通の授業時間内に継承語を教えることで、他の科目の時間が少なくなり、教科学習に支障がでるのではないかと心配した。またPELCOの反対論者のなかには、コミュニティ運営の継承語学校にかかわっているため利害関係が絡んでいる、と指摘した賛成派の少数派言語グループのリーダーたちもいた。

政治レベルでは、PELCOは明らかに非フランス系カナダ人をフランス系ケベック社会に統合する戦略の一環であると言えるが、そのやり方は強制的な同化を押しつけるものではなく、あくまでも異文化間交流主義の原則に則った形で行われたのである。PELCOの明言する社会的目標は、身近にある文化を互いに尊重し合い、多様性のなかの協調を実現することにあった（Bureau des Services aux Communautés Culturelles, 1983, p.4）。

PELCOの方が少数派民族グループ運営の継承語プログラムよりも有利な点が政府の公文書でいくつか指摘されている。例えば、州政府や教育委員会のサポートがあるため教育の質が向上したこと、教育省によって単位として認定されること、継承語授業の目的や内容がケベック州の事情と結びついており、通常の学校カリキュラムに統合されていること、実際のプログラムの開発、そしてもちろん教育実践にも少数派言語グループの人々が参加して重要な役割を果たしていることなどである。以上すべての点が自らの文化を子どもたちが正しく評価することにつながると考えられた。

### ◉コミュニティ運営の民間継承語学校

民族言語プログラム（PLE）は1970年以来続いており、〈文化コミュニティと移民省〉を通じて、継承語教育のための財政援助を受けている。その教育は、普通の公立学校制度の枠外で、少数言語グループの住民自らが運営するものであり（通常、土曜日の午前中か放課後）、補助金は教育委員会から認可を受けた教室借用料に普通あてられている。

補助金を受けるためには、まず民族言語クラス教育協議会（Council of Ethnic Language Classes）のメンバーであること、ケベック州の法の下で法人化していること、そして私立学校教育法（Private Education Act）の認可を受けた団体でなければならない。民族言語クラス教育協議会は、継承語教育に関する政府の諮問機関としても機能していた。当時35の言語グループがあり、1万9000人以上の児童生徒がこれらの継承語の授業を受けていたという（カナダ民族文化委員会、1988）。

ケベック州政府はPLEを通じて、プログラム総運営費の約1割を負担し、連邦政府が〈文化促進プログラム〉を通して同程度の支援をしている。またそれぞれの母国から援助がある場合もある。運営費の約76%は少数派言語グループが負担し、ほぼその半分が親に課された授業料によってまかなわれている（Comité d'Implantation du Plan d'Action a l'Intention des Communautés Culturelles, 1983, p.36）。したがって、PELCOとは違ってPLEプログラムは授業料によって運営されているため、入国間もない移民の子どもや授業料が払えない家の子どもは疎外される可能性がある。

なお、ケベック州では教育省認可の継承語プログラムに登録すれば、高校の外国語の単位が取得できるようになっていた。1986年時点で、ギリシャ、ポーランド、ドイツ、アルメニア、スワヒリ、スペイン、韓国、中国、イタリア、イディッシュ、ユダヤの言語・文化プログラムなど、11のプログラムが認可されていた（カナダ民族文化委員会、1988）。

このように、PELCOとPLEで学ぶ児童生徒の数はこの10年間で着実に増加してきている。最初は賛否両論が飛び交ったが、両プログラムは少数派民族グループの住民に大体において受け入れられたと言える。しかしながら、今後移民がますます増え、フランス系公立学校が文化的、言語的にさらに多様化すれば、継承言語と継承文化の維持をめぐる葛藤がいよいよ増す可能性があろう。

## オンタリオ州の継承語プログラム

連邦政府の多文化主義政策に準じて、オンタリオ州政府と大規模な教育委員会のいくつかはそれぞれの管轄下で文化的多様性に対する政策やプログラムを立ち上げるために、1970年代初めにタスクフォース（Task Forces）と作業部会（Work Groups）を組織した。多言語主義政策を受け入れることによってどの程度方向転換をしたかということは、1975年に発表された多文化主義に関するトロント教育委員会作業部会の報告書草案

(Work Group Draft Report on Multilingualism）を見ると明らかである。

> トロント市教育委員会にとってショッキングであったのは、10年しか経たないうちにトロントの社会の新しい文化的基盤と、それまで多文化政策を支援してきた文化的基盤がまったく相容れないものになっていたということである。（下線は原文のまま、p.5）

学校のプログラムを地域の文化的基盤にふさわしいものに再編成するために、州政府と地元の教育委員会が重点的に取り組んだのは、教科書のなかの人種偏見、多文化教育のための教材開発、民族グループ間関係、学校と地域コミュニティとの関係、教師と学校職員の研修などである。このような問題は、一般市民の熱い関心を呼ぶところまではいかなかったが、トロント教育委員会をはじめ他の地域の教育委員会が示したその指針は、メディア関係者から高く評価されたのである。

前に指摘したように、一般市民の継承語教育に対する反応とメディア関係者のそれとでは大きく異なっていた。継承語教育に関する1970年初めからの論争は五つの段階に分けて見ることができる。段階を経るごとにわずかずつではあるが、政府の政策や一般市民の態度に明らかにイギリス追従の衰退が見られる。

## ◉第一段階　初期の衝突

後にトロント継承語論争にまで発展した最初の衝突は1972年４月に起こった。その発端となったのは、トロント教育委員会の教師アンソニー・グランド提唱のイタリア語と英語のバイリンガルプログラムであった(Lind, 1974; Grande, 1975 を参照)。リンドによると、グランドが初めて４月に提案したとき、トロント教育委員会のニュー・カナディアン（新移民）委員会は「卒倒せんばかりに（驚いた）」(p.48-49) そうである。教育委員会は一年後にその修正案を受け入れ、現行の学校運営法（School Administration Act）の下で何ができるかについて教育省と交渉を重ねた結果、初めてイタリア語使用の幼稚園移行プログラム（transition program）（＊2）が誕生したのである。また同時に、教育委員会は中国系とギリシャ系児童生徒のための“バイカルチュラル・バイリンガルイマージョン”プログラムも承認したのである。ただ“イマージョン”とは言っても、1日に30分中国とギリシャの文化（と言語を少し）をボランティアが教えるだけだったので、“イマージョン”というのは明らかに誤った名称である。中国語の二校の場合は、通常の授業時間の“取り出し授業”であったが、ギリシャ語の方は放課後プログラムであった（中国語プログラムの評価については、Desosaran & Gershman, 1976 を参照）。

この一連の論争における教育省の方針について、リンド（Lind, 1974）は「ごたごたを避けるためにできるだけ規則を曲げないという方針以外に、明確な政策は何もなかった」（p. 50）と述べている。

### ◉第二段階　多文化プログラムの作業部会

1974年5月、トロント教育委員会は多文化プログラムに関する概念や教育プログラムについて調べるために、〈多文化プログラム作業部会〉（Work Group on Multicultural Programs）を立ち上げた。その作業部会は1975年に報告書を草稿の段階で公表、翌年最終報告書を刊行したのである。

草稿の段階では、英語とフランス語以外の言語を小学校で外国語として

[訳注]

（＊2）少数言語を母語とする児童生徒を公立小中学校で受け入れるに当たって、現地語を習得するまで、暫定的に彼らの母語を使用して教科学習をするプログラムである。米国ではこれをバイリンガル教育と呼んでいる。しかし、プログラムの目標が英語の習得にあり、それまでの暫定的処置としてのみ母語を使用するため、移行プログラムまたは過渡的プログラム（transitional program）と呼ばれる。また母語と現地語の二言語の習得を目的とする二言語強化プログラム（Bilingual Enrichment Programme）に対して、主要言語の習得のみを目標とし、これに到達するまでの過程で母語を使用するので、移行バイリンガルプログラム（Transitional Bilingual Program）とも呼ばれる。

教えたり、教科学習の媒介語として使ったりすることができるように、オンタリオ教育法（Ontario Education Act）(＊3) の改正を州の教育委員会が教育省に要求すべきであると答申した（トロント教育委員会、1975）。また当時進行中であった“バイカルチュラル・バイリンガル”プログラムや移行プログラムの継続と拡充、さらに第三言語として継承語を中等教育の単位認定科目にするという要望に対して、教育省は前向きに検討すべきであると勧告したのである。

これらの勧告は、母語・母文化振興に関する部分については、すでに文書や会合を通して少数言語コミュニティの強力なサポートを得ていた (Masemann, 1978/79 を参照)。しかしながら、最終報告では、一部の住民からの猛反対にあって、より革新的と見られる部分を削除してしまったのである。草稿の段階で公開したことによって「報告書のなかに書かれていた“ある考え”に反対する“新しく議論に参加した人々”の意見が触発されたのだ」（1976, p.23-24）という。少数言語コミュニティに対する措置がゲットー化につながる、また経費がかかるという危惧が“少数派言語グループの要求”が法外だという非難と混同されたのである。移住者自身、またその両親も祖父母もみな自らの意志でカナダに来たのだから、当然カナダの現存の教育制度や社会制度をそのまま受け入れるべきなのだと多くのトロント市民が感じ、もし自分たちの母語を維持したいのならば、家のなかで“ひっそりと”するべきだというのである。また母語保持をするということは、英語習得を遅らせることになるので、家庭であれ学校であれ、教育上得策ではないという強い意見もあった。

[訳注]

(＊3) カナダの教育制度は連邦政府ではなく、州政府の管轄下にあり、それぞれの州が独自の教育法（Education Act）を持っている。オンタリオ州教育法では、公立小中学校における授業言語を公用語であるフランス語と英語と手話に限定している。したがって、公立学校のなかで継承語を授業言語として使用することはできない。

これに反して、平原三州では1970年代に法律を改正し、英語とフランス語以外の言語でも教科を教えることを認めている。

このような“大事な少数意見”の強さに屈して、また教育省が教育法を改正することを拒否したこともあって、作業部会は継承語教育に関連した勧告を取り下げてしまったのである。

### ◉第三段階　〈継承語プログラム〉(Heritage Language Program, HLP)

オンタリオ州の〈継承語プログラム〉は1977年の春に発表された。それは継承語教育に公的支援をすることに対する反撃を最小限におさえながら、根強い“少数派言語グループの要求”に応えるためによく考えられた企画であった。オンタリオ州政府が継承語教育の制度化に踏みきった要因の一つは、市のフランス系教育委員会（Metropolitan Separate School Board, MSSB）(＊4) がイタリア政府の援助を受けて数年間もイタリア語とイタリア文化プログラムを管轄下のフランス系公立学校で提供していたという事実である（Berryman, 1986; Danesi & DiGiovanni, 1986）。例えば、イタリア政府は1975年から1976年にかけて、フランス系教育委員会に18万7000ドルも提供していたという（Berryman, 1986）。ベリーマンは次のように指摘している。

> オンタリオ州学校教育への外国政府による明らかな干渉は、もちろん州政府の関心事であり、そのことがオンタリオ州政府をして最終的にHLPを採択せしめた大きなインパクトとなったのである。(p.37)

[訳注]

(＊4) 公用語で教育を受ける権利を守るため、各州にイギリス系教育委員会とフランス系教育委員会（Metropolitan Separate School Board, MSSB）が併設されている。オンタリオ州では、1998年にトロント周辺地区の六つのイギリス系教育委員会がトロント地区教育委員会（Toronto District School Board）に統合された際、フランス系教育委員会はカトリック系教育委員会（Catholic School Board）と改名され、現在その傘下に168の小学校、31の中等学校（secondary school）を擁している。そして、フランス系カナダ人ばかりでなく、カトリック系のポルトガル、イタリア、ポーランドなどからのカトリック系（カトリック信者である必要はない）の移住者児童生徒を幅広く受け入れている。

このような“干渉”は、オンタリオ州政府にとって不愉快きわまりないものであったが、かといってそれを差し止めるだけの力を持っていなかった。州政府が継承語保持に対してはっきりとした姿勢を示さないのであるから、教育委員会も、また数のうえで圧倒的優勢を誇るトロントのイタリア系コミュニティも、当然イタリア政府の補助金を断ろうとはしなかったのである。

他の外国政府も干渉してくる可能性があること、そして少数派コミュニティの人口が増えてその重要性が増したこととが重なって、オンタリオ政府は継承語プログラムの導入という政治的決断を下すにいたった。その発表のタイミングも、少数派グループの票集めと疑われかねないほど州選挙に近い時期でもあった。

このような一連の動きを記録に留めたベリーマン（1986）は、多くのイタリア系生徒が1970年代初めにフランス系学校に転校したことによって、（フランス系）教育委員会と（イギリス系）教育委員会とが競争的関係になったという。

> このような状況がきっかけとなって、どの教育委員会も州の多民族、多言語人口のニーズや要望に一層敏感にならざるをえなかった。公立学校は、質の高い多文化プログラムを提供するか、それとも生徒を失うかという岐路に立たされたのである。……教育委員会が完全に管理できない資金が州のプログラムのために外国政府から流入しているという事実が明るみに出るにつれ、オンタリオ州教育法を変えようという圧力は無視できないほど強まり、結局、州の小学校で非公用語による教科学習を認めざるをえないという状況にまでいたったのである。(1986, p.54-55)

継承語プログラムの授業には基本的に次の三つの選択肢がある。(a)週末プログラム、(b)放課後プログラム（通常の５時間の授業後）、(c)授業時間内プログラム（30分延長して通常の授業内に組み込む）。以上のうち最後の選択肢(c)がフランス系教育委員会では一番盛んで、これまでどこよりもはるかに大規模なプログラムを運営してきた（3万人以上の生徒が在籍）。

継承語プログラムは中学・高校レベルの生涯教育プログラム（Continuing Education Program）の管轄下で開かれているもので、教師はオンタリオ州の教員免許状を持つ必要がなく、普通の教員よりもかなり低い給料で雇われている。また、継承語プログラムは通常の授業時間外で行われるので、州の教育法を大きく変える必要もなかった。よって、オンタリオ州政府にとって、継承語プログラムは他の住民の利益を無視することなく少数派言語グループの要望に応える穏当な妥協案だったのである。しかしながら、継承語プログラムに反対する人々の初期の反応は極度に敵対的で、州政府のある役人の話によると抗議の電話が3週間も鳴りっぱなしだったという。

州政府は継承語プログラムに対する要望をあまく見ていた面もある。1977/78年度には100万～150万ドルの予算が見積もられていたが、実際の経費は合計約500万ドルに達した。その後も登録者数が9万をやや超えるところに落ち着くまで、数年間増え続けたのである。初年度の1977/78年度には42の教育委員会が5万人以上の生徒のために30言語、2000のクラスを設けたが、9年後の1986/87年度には、72の教育委員会が9万1110人の生徒のために58言語、4364クラスを提供し、その経費も1150万ドルに膨れあがっていた（カナダ民族文化委員会、1988）。加えて、連邦政府の文化促進プログラムの援助を受けて、コミュニティが運営する369校の継承語学校で、6万9000人以上の生徒が継承語を学んでいたのである。ただし、州の継承語プログラムと継承語学校の両方に在籍する生徒もいるので、生徒数の統計にはいくらか重複がある。ちなみに、オンタリオ州が援助する継承語プログラムの授業料は1週間2時間半まで無料であったが、住民が運営する継承語プログラムの場合は、それ以上の時間は大部分親が支払う授業料でまかなわれていた。

プログラムが導入されたその年、教育省は継承語プログラムに対する財政支援の方法を変えることによって支援資金を大幅にカットしようとした。しかし、少数派コミュニティはこれに断固として反対し、すでに与えられたものを取り上げるのは政治的に実行不可能であると州政府を説得し、その提案は却下された。結局、継承語プログラムについては政治的に“勝ち目のない”状況のなかで、保守政権の任期が終わるまで活動停止という状態が続いた。プログラムを強化しようともしなかったが、縮小しようともしなかったのである。

この初期の継承語政策を評価して、ベリーマン（1987）はこう結論づけている。

> 結果として、ついに片足を学校教育のドアの内側に踏み入れた少数派コミュニティのリーダーやメンバーの勝利であった。言語と文化は不可分であるという原則は少なくとも部分的に認められたのである。（p.62）

しかし、州政府にとっては、継承語プログラムを施行したことによって、“少数民族グループの要求”に応えるため、さらなる財政的、政治的コストを背負うはめに陥ったのである。

### ◉第四段階　第三言語教育作業部会の報告書（1982年）

継承語プログラムが“正規”の教育の一部として認知されていないことを不満とするウクライナ系カナダ人とアルメニア系カナダ人は、1980年春“オールタナティヴ・ランゲージ・スクール”（＊5）（Alternative Language Schools）の設立をトロント教育委員会に提案した。オールタナティヴ・ランゲージ・スクールとは、本質的にはマグネット・スクール（＊6）である。そこでは継承語を１日30分間、授業時間を延長して教え、継承語との意味のある接触を増やすために保護者への連絡とか“授業とは関係ない”会話にも継承語を使う。この提案は“ゲットー化”とか“バルカン化”などと呼ばれて非難の的となり、報道陣からもさんざん叩かれた。

1980年6月、トロント教育委員会は第三言語教育の問題をすべて作業部会に一任した。第三言語教育作業部会は住民との話し合いを重ね、西部諸州のウクライナ語＝英語バイリンガルプログラムを訪問したりして、1982年3月最終報告書を提出した。その報告書のなかで、可能ならば授業時間を延長して継承語プログラムを正規の教育の一部に徐々に組み込んでいくべきこと、また、長期的戦略として継承語を使ったバイリンガル、トライリンガルプログラムの実施に向けて努力すべく、それを可能にする法律の改正のために教育委員会が州教育省に圧力を加えるべきだという勧告をしている。

この勧告が引き金になって世論を二分する激烈な論争が起こった。少数派コミュニティの大多数は作業部会の提案を強く支持した。反対したのは主にイギリス系カナダ人であったが、一部の少数派グループのなかにも強い反対論を唱える者がいた。トロント教員連絡協議会（Toronto Teachers' Federations, TTF）も、学校はもう手一杯でそんなことをしている余裕はな

[訳注]

(＊5) カナダには通常の学校制度のなかから何らかの意味ではみ出す児童生徒の受け皿としてオールタナティヴ・スクール（Alternative School）という制度がある。この制度の下、言語教育に焦点を合わせ、特異の語学プログラムを持つ学校をオールタナティヴ・ランゲージ・スクール（Alternative Language School）と言う。通常の学校制度からはみ出た児童生徒というのは、例えば、(a)すでに音楽、スポーツ、演劇その他で第一線で活躍しているために通常の授業に出席することが困難な児童生徒、(b)将来音楽家、画家、俳優、スポーツ選手を目指し、そのために必要な早期の専門的訓練と学校生活を両立させようとする児童生徒、(c)障害とは違った意味で通常の学校制度には適応できない児童生徒の場合である。オールタナティヴ・ランゲージ・スクールの場合は(b)に相当し、継承語の学習とその他の通常の教科学習を組み合わせた学校教育を意味する。

(＊6) 移住者子女など、特別なニーズのある児童生徒の受け入れにおいて、小中学校が各校それぞれ独自のプログラム（例えば、英語補助プログラム、ESL）を設置するのではなく、そのようなプログラムを必要とする児童生徒を一つの学校に集めて、特別なプログラムを組んで対処することがある。そのような学校をマグネット・スクールと呼ぶ。

いと猛反対した。明け方まで続いた三つの会議で200近い意見が教育委員会に提出された。それぞれの異なった立場の支援者が大声で賛成、反対を叫び、教育委員会事務所の廊下でもしばしば口論が闘わされた。1982年5月5日、意見が大きく割れていたにもかかわらず、新民主党（NDP）系の評議員によって占められた教育委員会は、作業部会の報告書を承認、トロント市のほぼ12の学校で継承語プログラムを学校時間内に統合する作業が1983－1984年に始まったのである。

しかし、論争はそこで終わらなかった。継承語統合プログラムの“標的とされた”学校は地域の住民投票を行わなければならなかった。住民の立場も二つに割れていることが多かった。教師は大体において統合に強く反対し、生徒たちに彼らの意見を直接的また間接的に伝えることもあった。例えば、ある親の報告によると、もし継承語プログラムが学校の科目に組み込まれたら、生徒たちの成績が下がるとまで言った教師がいたという。

トロント教員連絡協議会（TTF）は調停を申し入れ、“基本職務に戻ろう”という方針を立て、すべての課外活動をボイコットした。そして、全面的ストライキの可能性をちらつかせたのである。委員長は教員の不安を次のように言っている。

> 通常の学校時間内に“統合された”継承語学習のメリットに対して、個々の教員がどのような意見を持とうと、きわめて明白だったことはそれに伴う犠牲があまりに大きかったということである。職場のストレス、士気の低下、勤務時間の不平等、基礎科目への悪影響、補講、課外活動など、単なるイライラの域をはるかに超えたものであった。(McFadyen, 1983, p.2)

調停の結果、継承語の統合・延長（integrated/extended）プログラム導入に関する教育委員会の権利が認められたが、そのころまでには（1985年秋)、教育委員の選挙があり新しい教育委員会内部では力関係ががらりと変わった。新民主党（NDP）支持の評議員が少数派となり、多数を占める保守派が継承語プログラムの統合に断固として反対したのである。新教育委員会は継承語の統合プログラムに対する反対行動をすぐにはとらなかったが、学校・地域関係局（School-Community Relations Department, SCR）を解散してしまったのである。そこは少数言語コミュニティの親たちに情報を提供したり、継承語問題を論議する会合への参加を呼びかけたりして、積極的に動いていた部署である。SCRのコーディネーターは“仕事がないから”と言われて解任されたという（*Roll Call*, vol. 9, no. 1, November, 1986, p.8）。

論争の争点は、基本的には以前のトロント論争とそれほど変わってはいなかった。しかし、住民の関与度が高かったことは確かである。作業部会の報告書に賛同した人たちは、親のことばや文化を失う子どもの痛みを強調し、継承語教育全般、とりわけバイリンガルとトライリンガルプログラムに関する報告書がとりまとめた調査結果を引き合いに出して、自分たちの子どもの教育目標としてバイリンガリズム、トライリンガリズムを掲げることの意義を強調したのである。

反対論は、報告書通りに実践された際に起こりうる財政的、社会的問題に集中する傾向があった。評議員のマイケル・ウォーカー氏は、1982年4月17日のグローブ・アンド・メール紙に暗澹たる未来像を描いた記事を投稿している。

> もしこの報告書が承認されれば、言語・文化グループによって子どもたちは分断され、町中で大規模なバス通学が始まり、言語・文化グループの数によって教員が配置され、そして住民にはさらなる税金が課されるであろう。もしこの報告書の勧告に従えば、第三言語を使用する学校に通う子どもはすべて二流市民となり、コミュニティ全体に大きな損害を与えることは間違いない。そして最終的にはトロントの公立学校制度が崩壊すると私は信じる。(Michael Walker, April 17, 1982)

この論争が作業部会提案の賛否の域を超えてエスカレートしたものであることは明らかである。市のフランス系教育委員会の統合プログラムで納税者に余計な負担をかけずに3万人近くの子どもが継承語を学び、ゲットー化も学力低下も生じていないという事実があるにもかかわらず、反対論者の不安は解消されなかったのである（Keyser & Brown, 1980）。

オンタリオ州の一般市民がこの問題についてどのような態度を取ったかということについては、オンタリオ教育大学院（Ontario Institute for Studies in Education, OISE）が行った教育への市民の態度に関する第4回目の調査の結果で明らかである（Livingstone & Hart, 1983）。回答者の3分の1以上が小学校で継承語教育を行うべきではないと感じているのに対して、ほぼ同数の回答者が高い関心のある地域では放課後プログラムを導入すべきだと答えている。授業時間内の継承語教育に賛成した人はきわめて少なく、教科として継承語を教えることには24％、授業の媒介語として継承語を使用することには6％の支持しかなかった。また、低所得で教育レベルが低い回答者の方が高所得高学歴の回答者よりも継承語の導入に否定的であることがわかった。

### ◉第五段階　〈継承語プログラム〉の強化

自由党（Liberal Party）が1980年代中頃にオンタリオ州選挙で勝利をおさめて政権を握ったとき、党は多文化主義と人種関係問題を優先させると宣言し、継承語プログラムを強化する政策について非公式に協議を始めた。当初から、継承語プログラムに対する市民感情は沸点に近い状態だったが、教育省は継承語プログラムの教育的地位を正当化したり、強化したりする努力はほとんどしていなかった。この問題に関するカミンズの先行研究調査（Cummins, 1983）を除いて、継承語プログラムの教育的効果に対する実証的研究には助成金が支給されておらず、カリキュラム開発や現職教員研修にも最小限度の助成金しか提供されなかった。

教育省は『行動への提案——オンタリオ州継承語プログラム（*Propos-*

*als for Action: Ontario's Heritage Languages Program*)』と題した小冊子を1987年６月８日に出版した。そのなかで継承語プログラムの強化プランがいくつか提案された。例えば、教育委員会は、学区域の25人以上の児童生徒の親から要求があった場合、継承語プログラムを実施しなくてはならないこと、カリキュラム開発、教材その他の配布、教員の研修、研究調査への支援が含まれていた。しかしながら、そのなかに授業時間内に継承語で教科が教えられるようにオンタリオ州教育法（Education Act）を改めるという提案はなかったのである。継承語プログラムの実施を教育委員会に義務づけたのは、主にスカーボロ（地区）教育委員会に向けられたものだった。その理由はスカーボロ教育委員会が少数派コミュニティからの強い圧力にもかかわらず、頑なに継承語プログラムの導入を拒んできたからである。

一般市民もこれらの案に対し意見を求められ、その意見は教育省によってまとめられた（Davis, 1987）。なかでも一番反応が大きかったのは、継承語プログラムを義務づけるという提案で、その反応には一般的な賛成論もあったが、解決すべき差し迫った他の教育問題がある（例：若年層の高い非識字率、中退、ゆとりのないカリキュラム）とか、英語やフランス語習得に悪影響を及ぼすとかいうような反対論もあった。また継承語教育が社会を分断し、教育委員会の統制力が低下することに対する危惧もあった。逆に賛成論は、地球市民の育成、子どもと大人の文化的障壁を除去して家庭内の不和を軽減することに対する継承語教育の貢献、また継承語が使えるということから来る経済的価値も継承語教育プログラム強化への賛成意見として出されたのである。

大きな反対がないまま、教育省は提案通りの継承語教育を実施しはじめた。1989年に『継承語のカリキュラムガイドライン（*A Curriculum Guideline for Heritage Languages*）』が作成され、1989年９月に不承不承、スカーボロ教育委員会が継承語プログラムに参与したのである。

政治的に見ると、継承語による教科学習を可能にする法律が通っていたのなら当然起こったであろう政治的激変の危険をうまく避けて、継承語プログラムを強化し、ある程度まで正当化することに教育省は成功したと言える。教科学習に継承語を用いることに対する広範な少数派コミュニティの圧力がなかったことを理由に、『行動への提案』からその条項をはずすという教育省の政治的知恵が働いたのだという[3]。しかし、教育的見地から見ると、そのような動きは、継承語教育の置かれている低い、周辺的な立場を改善するのにほとんど役立たなかったし、生徒の言語的多様性に対して、より想像力豊かにかつ効果的に応えたいと願う地域の教育委員会や少数派コミュニティに、制約のある継承語プログラムを押しつけることになったのである。

## 平原三州の継承語教育

平原三州には、三つのタイプの継承語教育がある。第一は、公立学校における一日の50％は継承語を用いて教科を学ぶバイリンガル教育。第二は、州政府によって助成金を受け、地域の教育委員会の管轄下にある正規の外国語科目としての継承語教育。第三は、少数派コミュニティの手によって週末や放課後に開かれるパートタイムの継承語プログラムであり、そのほとんどが連邦政府および州政府の財政支援を受けている。

### ◉バイリンガル継承語プログラム

1971年、アルバータ州は、公立学校において英語とフランス語以外の言語を使って教科を教えることを法律で認めた最初の州となった。これは主にウクライナ系カナダ人の圧力による結果であった。続いてサスカチュワン州は1978年に、マニトバ州は1979年に法制化された。現在、幼稚園で最大100％、それ以降50％継承語を使用するウクライナ語やドイツ語のバイリンガル教育が平原三州のどの州にもあり、州政府の財政的援助で運営されている[4]。この他ヘブライ語のバイリンガルプログラムがアルバータ州とマニトバ州にあり、イディッシュ語＝英語バイリンガルプログラムもエドモントン市にある。さらに英語＝中国語バイリンガルプログラム、英語＝アラビア語バイリンガルプログラムが1983年9月にエドモントン公立学校教育委員会の下に設置され、ポーランド語＝英語バイリンガルプログラムがエドモントン・カトリック学校教育委員会によって運営されている。中国語のプログラムで興味深いのは、子どもの大半が広東語圏出身であるにもかかわらず北京語で教えていることである。親は北京語の高い地位と有用性を意識しており、この意味で中国語プログラムは子どもたちにとって北京語イマージョンと言えるものである（Jones, 1984）。ちなみに、アルバータ州バイリンガルプログラムの1986/87年度総生徒数は2800人であった（カナダ民族文化委員会、1988）。

ウクライナ語のバイリンガルプログラムの評価がアルバータ州とマニトバ州で行われ、よい結果が得られている。要するに子どもたちは英語や他の教科を犠牲にすることなく、かなり高度な継承語の力をマスターしているということである（Edmonton Public Schools, 1980; Chapman, 1981; Ewanyshyn, 1980）。この結果はフレンチイマージョンや少数派のフランス系カナダ人のプログラムと酷似している（Cummins, 1983 を参照）。しかし、重要な違いもある。それは、ウクライナ語プログラムの生徒の場合、親の社会経済的背景が学区域の住民とだいたい同じであるのに対し、フレンチイマージョンプログラムでは親の社会経済的階層がより高い子どもたちがその主な対象となっていることである。よって、ウクライナ語プログラムの評価が示唆することは、バイリンガルプログラムが単にエリート集団の子どものためだけではなく、広く一般の生徒にも適したものであるということである。

しかし、これらのプログラムが抱える最大の問題は、（同じ言語グループの人々が都会でも地方でも同じ居住地域に集住していない傾向があるため）生徒の在籍数が比較的少ないこと、またこのような特殊なプログラムの運営責任を教育委員会が負うことを嫌がったことである。しかし、これらバイリンガル育成を目指す継承語強化プログラムは北米では珍しく、このような教育アプローチも可能だということを示すいい例である。

以上のプログラムは、カナダの他の地域の継承語論争にも大きな影響を与えた。例えば、第三言語に関するトロント教育委員会の作業部会報告書（1982）でも取り上げられているし、またショー（Shaw, 1983）はケープブレトンのゲール語の復活にも同じようなアプローチが適切であると次のように言っている。

> カナダ国内で、マニトバ州やアルバータ州の英語＝ウクライナ語バイリンガル教育が成功しているということは、われわれにとってもっとも大きな励みであり、ケープブレトンでも試みられるべき有益な前例を示してくれたと言える。（1983, p.75）

平原三州の少数派グループの間でこのようなプログラムを希望する州民がそれほど多くなかったという事実は、もしオンタリオ州の法律を変えたらバイリンガルプログラム設置への要求が殺到して教育委員会が身動きできなくなるというような政策立案者たちが抱いた危惧が根拠のないものであったことを示唆している。このような継承語プログラムは、継承語の維持伸張に対する異なったアプローチの可能性を示すものであり、それに対して関心を持つのはほんの一部の少数派グループの親たちだけだということである。

### ◉公立学校の教科としての継承語

平原三州の中等教育（中学２年間と高校４年間）では、フランス語と英語以外の選択科目としての「現代語」（modern languages）プログラムの数は少なかった。例えば、サスカチュワン州では1967年に、７学年から９学年（日本の中学１年から中学３年）まで第二言語が必修となり、翌年ドイツ語とウクライナ語の「現代語」プログラム開発のため、カリキュラム委員会が設立された。マニトバ州の中等教育では、継承語が1950年代から教えられていたが、1970年代に小学校でも普通の授業時間内の継承語プログラムが開始された。

1986/87年、マニトバ州では9言語、サスカチュワン州では2言語（ウクライナ語とドイツ語）、アルバータ州では6言語、外国語の教科としてのコアプログラム（core programme）(＊7) があったという。そういう言語は多くの場合、小学校と中学校の両方で学ぶことが可能であった。

### ◉コミュニティ運営の継承語プログラム

アルバータとマニトバの両州では、連邦政府が支援するコミュニティ運営の継承語学校（supplementary schools）で1万人以上の生徒が継承語を学んでおり、サスカチュワン州では2000人以上の生徒が学んでいる。加えて、三州の州政府も継承語学校に財政的援助を与えている。マニトバ州にはこのように公立学校外で継承語を学ぶ生徒が合計で3万人近くいるという。

三つのどの州にもきわめて活発な継承語教師団体があり、教員研修会を開いたり、継承語教育の支援方針やプログラムについて州政府と定期的に協議したりしている。この点、オンタリオ継承語協会（Ontario Heritage Language Association）が散発的にしか機能しなかったのとは対照的である。

最近の平原三州の政府刊行物を見ると、継承語教育の重要性を強調しているが、州政府と少数派グループとの間には、その熱心さにおいてかなりの温度差があることがわかる。例えば、『アルバータ州の言語教育政策』（*Language Education Policy for Alberta*, 1988）はこう述べている。

　アルバータ州教育省は英語とフランス語以外の言語を習得、あるいは維持

[訳注]

(＊7) カナダの第二言語としての語学教育の一形態。いわゆる一般的な教科としての「外国語」である。イマージョンプログラムとの対比で、コアプログラムと呼ばれる。

したいと望む生徒には、パーシャルイマージョン（バイリンガル）プログラムを、そしてその他には英語、フランス語以外の言語を外国語として学習する機会を提供する[5]。(Government of Alberta, 1988, p.16)

同様に、最近の報告書『サスカチュワン州の多文化主義政策（*Multiculturalism in Saskatchewan*）』で、教育省が州の学校教育と関連した継承語教育と民間の継承語教育の両方に責任を持つべきであること、そして“よくサポートされた継承語教育を最優先”（1989, p.21）すべきであると勧告している。さらに大学には、継承語教師の養成および資格認定プログラムを立ち上げるように勧告している。

これらの勧告は、サスカチュワン継承語団体（Saskatchewan Organization for Heritage Languages, SOHL）の提言を忠実に反映したものである。継承語団体が文書で強調したのは「継承語はカナダの言語であり、カナダの社会、経済に対するその価値が甚だしく過小評価されてきたことをサスカチュワン州政府は今こそ認識すべきである」（*SOHL Newsletter,* Winter, 1988, p.1）ということであった。

最近（1989年3月）、サスカチュワン州教育省は、3年前に提出された継承語諮問委員会の要望に応えて、継承語政策の方針に関する中間報告を提出した。その新構想のなかには、放課後のプログラムで習得した継承語の力に対して単位を授与する制度作りや、継承語教員のための特別教員免許の新設などが含まれている（*TEMA*, Summer, 1989, vol. 20, no. 2 を参照）。

以上述べたように、平原三州には他の州よりも政府行政機関とコミュニティの継承語団体とのはるかに緊密な関係があった。サスカチュワン州政府の継承語教育向上の勧告に対する対応は、継承語団体に言わせると遅すぎたが、全般的に平原三州には継承語に対する好意的な風潮があり、オンタリオ州やケベック州のような大きな論争にはならなかった。このような好意的な風潮は、明らかにウクライナ系カナダ人とドイツ系カナダ人が集住している平原三州の人口構成と関係がある。平原三州では、いくつかの例外を除いては、オンタリオ州で見られたような顕著な右派と左派の分裂はなかった。例えば、70年代後半から80年代初めにかけて、アルバータ州の保守党政権もマニトバ州の新民主党政権も同等の熱意を持って少数派民族グループの要望に応えようとしたのである。

### ◉ブリティッシュコロンビア州の継承語教育

ブリティッシュコロンビア州では、1986/87年に1万4950人の生徒が、140の連邦政府支援の民間継承語学校で学んでいた。言語の数は26にのぼる。ブリティッシュコロンビア州政府は、新環太平洋構想のもと経済的に影響力のある環太平洋言語の新プログラムの設置を奨励したが、課外の継承語学校には直接的な財政援助をしなかった。しかし、補助金を出さなかったとはいうものの、オンタリオ州と違ってブリティッシュコロンビア州の教育法は、バイリンガル継承語プログラムや一教科としての継承語プログラムを学校内で提供することは禁じていなかったし、また、認可された民間学校や学校内プログラムの継承語学習者に対して、中等教育レベルの外国語の単位を与えたのである。

ロシア語＝英語バイリンガルプログラムは、1983年カストレガーの第9学区でスタートし、現在も運営されている。またヘブライ語＝英語バイリンガルプログラムもバンクーバー地域のいくつかの私立学校で行われている。

### ◉大西洋四州[＊8]の継承語

1986/87年には、おおよそ1500人の生徒が連邦政府支援の民間継承語学校で学んでいた。州政府の援助もなく、学校で継承語の授業は行われていない。ちなみに大西洋四州ではアラビア語がもっとも盛んな継承語である。

[訳注]

(＊8) 大西洋四州とは、ニューブランズウィック州、ノバスコシア州、ニューファンドランド州、プリンスエドワードアイランド州である。

カナダの他の地域の継承語教育に影響を与える可能性のある最近の一つの動きは、ケープブレトンのアイオナ地区にできたゲール語による児童保育グループ（playgroup）である。Croileagan a'Chaolais というグループは、スコットランドとアイルランドで大成功した児童保育グループをモデルにしており、幼少のときから子どもたちをゲール語の音で取り巻くことを目的としている。この児童保育グループのリーダー、ローズマリー・マックコーマックは、ケープブレトン住民の雑誌『フォーランナー』（*Forerunner,* 1989）にこのプログラムを紹介し、次のように語っている。「1988年12月の開設以来きちんと通ってきた子どものほとんどは、ゲール語で話しかけられてもそれが理解でき、二、三の歌のフレーズや単語を繰り返し言うことができる」（MacCormack, 1989, p.12）。しかし、スタッフは全員ボランティアであり、今後も財政面の課題を抱えていくであろう。

## 結 論

この10年間、継承語教育はカナダの大部分の地域で急速に拡大した。これには、連邦政府、ならびに州政府の補助金の貢献が大きい。しかしながら、1977年に『多数派カナダ人の態度の研究』が予見したように、世論は、継承語教育、とりわけ、通常の学校内の継承語教育に対して政府が援助すべきかどうかという点で意見が分かれたのである。オンタリオ州では、授業時間を延長して継承語プログラムを組み入れようという教育委員会の計画に抗議して教員たちが基本職務に戻ろうという示威運動を6ヶ月も続けるほど、激しい闘争に発展した。ケベック州では、移民の増加と、少数派グループの子どもがフランス系公立学校に行くことが義務づけられたという事情とが相まって、言語と文化の問題をめぐる緊迫した状況が生じた。ケベック州の出生率が引き続き低迷するということは、ケベック州が文化的にも言語的にもますます多様化し、これからもこの問題が論争の的になることを示唆している。一方、バイリンガル教育がいくつもの言語で盛んに行われている平原三州では、このような問題が議論を呼ぶことはあまりなかった。

多文化主義政策の初期において識者たちが指摘した多文化主義と多言語主義との間にある“ぬぐいきれないあいまいさ”はいまだに現存するが、多言語主義がカナダ社会の正当な社会目標として徐々に容認される方向に動き出していることは確かである。変革のペースは緩やかではあるが、連邦政府レベル、州政府レベルで継承語プログラムが確実に定着してきていることは否めない。そして、出生率低下に伴う移民の増加は避けられないことから、今後とも言語的多様性が確実に増していき、それに伴ってイギリス系カナダ人の支配がますます弱まることになるであろう。カナダ社会の人口構成が急速に変化するこの時期、過去10年トロント教育委員会内で繰り返されてきた“われわれ”と“彼ら”の間の相対的な力のバランスをめぐる対立が、今後もエスカレートする可能性があろう。

これまで、多数派のイギリス系カナダ人は、少数派グループに言語と文化に関して次の二つの選択肢しか与えなかった。一つは彼らの言語と文化を捨て、目立たず、声も立てずに同化することである。もう一つは、現在の言語的・文化的状況や政治権力構造にまったく影響を与えることなく、“ひっそりと”自分たちの責任で言語や文化を維持することである。しかし、多くの少数派言語グループの人口増加と経済的安定によって、これらの選択肢を拒否し、納税者として彼らの要望を強く打ち出すことが可能になったのである。ケベック州以外の少数派言語グループが立ち向かっている壁とは、一般のカナダ人の多くが共有する多文化主義のベールの下に深く根づいているイギリス追従という基本的価値観である。

ケベック州のフランス追従の動きは、ケベック州以外のカナダのイギリス追従とは異なったルーツを持つ新しい現象である。実際、ケベック分離主義（Quebec separatism）と呼ばれる強い民族意識は、“多文化主義”が連邦政府の正式な政策となった70年代の初めに生まれたものである。もちろんその発端は時代をはるかにさかのぼったところにある。ケベック州政府の政策は継承語維持への財政的支援と、フランス語圏内の異文化間交流主義の重視という点で比較的一貫している。しかし、州政府文書に書かれているように、フランス語とケベック文化の優位性が確立しており、それらがもはや少数派言語グループによって脅かされることがないのにもかかわらず、多くのケベック人は、人種的、文化的、言語的多様性を受け入れることに抵抗を示している。ただし、ケベック州の少数派グループはオンタリオ州よりも幅広い母語保持・伸張の選択肢を享受している。それは、教授用言語として継承語を用いる私立学校に対する寛大な財政支援や、州政府の民間継承語プログラムや公立学校の継承語プログラムに対する支援によるものである。これからの20年、ケベック州の少数派民族グループが闘いとるべき主な目標は、多数派フランス系住民が文化的、人種的多様性に適応していくなか、生活のあらゆる面において立ちはだかる壁を取り除き、完全かつ平等な社会参加を実現することであろう。もちろんケベック州以外の少数派グループにとっても、これらは最優先させるべきことがらであるが、継承語維持に対する財政的支援と法律上のサポートも同じように重要である。

要するに、表層面でとらえた多文化主義の概念が、隣国アメリカと一線を画する特有の価値観としてカナダ人のアイデンティティと結びつけられてきたが（少なくともケベック州以外において）、すべての民族文化グループが平等に国の権力と資源の受益者になるという、より根の深い多文化主義がカナダ人の精神構造のなかに根づくのはこれからと言えよう。

カナダの継承語論争の特徴となった対立概念を見ると、子どもの継承語の維持や習得を促進する理論的背景を冷静に検証することが肝要である。継承語論争がきわめて感情的であることから、政治上の問題と教育上の問題とを分離することが難しくなっている。そこで次章では、カナダにおける継承語を促進する教育的、社会的根拠についてまとめてみたい。

### ◆原注

(1) カナダ継承語研究所は、運営費として毎年50万ドルを5年間、長期的財政確保のため、また基金作りのために毎年80万ドルの援助を5年間受けることになっていた。

(2) 先住民族の言語を教えるプログラムはノースウェスト・テリトリーやユーコン準州に多数あるが、これらのプログラムは本書の域を超えるものであるため、ここでは取り上げない。

(3) 現在でも少数派グループのなかには教育法の改正を要求する人たちがいる。例えば、ニューパースペクティブ（*New Perspective,* ウクライナ系カナダ人の新聞）の12月－1月号（1988/89年）の論説では、「言語は単なる表現の手段や媒体ではない。言語は表現の内容や意味に色をつける。言語は人々が文化的アイデンティティを表す手段なのだ。……言語の表現形式と内容には緊密な関係があるゆえ、もし自分の選んだ言語を使えないのならば表現の自由はありえない」として1988年12月のカナダ最高裁判所の判断に言及している。オンタリオ州のウクライナ語＝英語のバイリンガル教育が否定される可能性は、言語の権利と自由の法律に関する最高裁判所の解釈を侵すものであると、その論説で主張している。そしてウクライナ系カナダ人に法廷でその問題について証言することを呼びかけている（Wynnyckyj, 1989a も参照）。

(4) 1970年代初期、ウクライナ系カナダ人が州の法律を変え、初期のウクライナ語＝英語バイリンガルプログラムを立ち上げたときの政治的圧力に関しては、ルプル（Lupul, 1976）とマレア（Mallea, 1989）を参照。

(5) バイリンガル継承語プログラムの継続は州の方針として保障されているが、アルバータ州の少数派グループ、とりわけウクライナ系カナダ人のなかには、その普及に州は今までほど力を入れていないことに不安を感じる者もいる（Wynnyckyj, 1989b）。目新しさが失せ、登録者の減少に伴って自然消滅するという予想のもとに、政府が放置するという態度を取るのではないかという懸念である。

# 第4章

# 人的資源としての言語

## 継承語強化の根拠と研究

世界的に見て、継承語やマイノリティ言語の教育には二つの大きなカテゴリーがある。一つは学校言語が未習得の間、教科学習に遅れないようにするためにマイノリティ言語を一時的に授業言語として使用するものである。アメリカではこのような移行バイリンガルプログラム（transitional bilingual program）が一般的であり、ヨーロッパの国々でも行われているものである。その主たる目的は継承語の伸張ではなく、マイノリティグループの子どもが教育を平等に享受することにある。つまり、二言語（一時的かもしれないが）を使用するが、達成目標は単なるモノリンガリズムにすぎない。一方これとは対照的に、もう一つの継承語強化プログラム（enrichment heritage language program）の方は、マイノリティ言語を教科学習の媒介語として使用するか、あるいはマイノリティ言語を教科科目の一つとして長期的展望のもとに学校で教えることであり、マジョリティ言語とマイノリティ言語の両方の習得を目指すものである。つまり、目標はバイリンガリズム、あるいはトライリンガリズムである。移行バイリンガルプログラムはマイノリティグループの児童・生徒のみがその対象となるが、継承語強化プログラムの方は少数派と多数派両方の児童・生徒が対象となる。

カナダでは、1970年代に移行継承語プログラムが実施されたことがあったが、ほとんどは継承語強化プログラムである（カナダのバイリンガル、継承語プログラムについては付録資料を参照）。その目標は継承語の力の伸張であり、州政府や継承語団体の出版物にはその目的が明確に謳われている。例えば、サスカチュワン継承語団体（SOHL）が発行した小冊子には、継承語を学ぶ理由が述べられており、そのなかで他言語を学ぶことの意義が次のように列挙されている。

◆人間の知性と言語の可能性に対する認識を深める。
◆知的発達を促進する。
◆自らの文化的ルーツに対する理解と認識を深める。
◆初めに覚えた第一言語に対する理解と認識を深める。
◆家庭、コミュニティ、国、世界とのよりよいコミュニケーションを可能にする(1)。

同様に、オンタリオ州教育省も〈オンタリオ継承語プログラム〉(Ontario Heritage Languages Programs)を立ち上げる根拠を述べ、そのなかで継承語強化によってもたらされるプラス面を強調している。パンフレット(オンタリオ州教育省、日付なし)によると、継承語の読み、書き、話す機会を与えることによって、以下のような利点があるという。

◆児童・生徒自身の出自および継承文化に対する認識を深める。
◆両親や祖父母とのコミュニケーションの質を高める。
◆カナダのなかで継承語が使える人材を育成する。
◆児童・生徒がすでに身につけている技術や概念を活かす場を与える。
◆高校で単位取得科目として履修する際、継承語の学習経験が貴重な基礎となりうる。
◆カナダの多文化社会や国際社会で活躍できるように、すべての児童・生徒に新しい言語を学ぶことを奨励する。

トロント教育委員会が行った調査(Lanter & Cheng, 1986)でも、校長、教員、継承語教師、そして統合/延長(integrated/extended)継承語プログラムに在籍する子どもの親も含めて、回答者の88%(644人のうち569人)

が継承語学習の主な根拠として、次のような理由をあげている。

- ◆親類縁者とのコミュニケーションの質を高める。
- ◆過去の文化遺産（heritage）に対する誇りを強める。
- ◆文化と宗教を維持し活性化する。
- ◆言語は若いうちに学ぶべきもの。

カナダ以外のマイノリティ言語教育では、多くのマイノリティ児童・生徒が経験する学習困難を解決するために母語維持と母語伸長が大切だと考える傾向がある（Cummins, 1983 の文献研究を参照）。今ではマイノリティ児童・生徒のためのバイリンガルプログラムがアメリカで普及しており、ヨーロッパでも、EC（European Community）がマイノリティ児童・生徒の母語、母文化を教える措置を講じるように加盟国に指示を出している。このような指示の基となっている根拠がヨーロッパ委員会（European Commission）の公文書に明確に述べられている。

> 受け入れ国の学校に移住者の子どもがうまく溶け込むには、特殊な教育的措置が必要だということを今や疑う者はいない。近年の大きな進歩は、母語が子どものパーソナリティの大事な構成要素であり、精神的安定にも、また新しい環境に順応するためにも、必要不可欠なものであるという認識である。
> (European Commission, 1978, p.15)

マイノリティ児童・生徒に対する教育にはさまざまな形態があり、それがしばしば議論の的となるが（Skutnabb-Kangas & Cummins, 1988 を参照）、西洋先進国では何らかの母語支援をするところが増えている。また母語伸長に関する基礎的研究も世界的規模で行われている。この分野で世界的に著名な研究者キャサリン・スノーとケンジ・ハクタ（Catherine Snow & Kenji Hakuta, 1989）は母語支援の教育的根拠について次のように述べている。彼らによると、アメリカでもっとも注目すべきことは継承語強化のコストではなく、モノリンガリズムによって生じるコストであるという。

……急速に英語にシフトすることによって、母親や祖母から流暢なスペイン語や中国語やポルトガル語が獲得できたであろう子どもたちが、高校の外国語のクラスで苦労し、しかも不成功に終わることが多い。世代間のコミュニケーションギャップはもとより、人種の坩堝化で英語のモノリンガルになることによって生じるその他のコストは以下の通りである。

社会が被るコストには、

教育的コスト：外国語教育のために、教師を雇い、授業時間を設け、教育予算の一部をつぎ込まなければならない……しかも履修した生徒の外国語の流暢さや正確さは、家庭で学んだ子どもたちと比べてはるかに低い。

経済的競争力：アメリカの多国籍企業、外交、諜報活動などは、英語以外の言語に精通する人材が少ないことによって著しい損害を被る。

国家安全保障コスト：年間何百万ドルにものぼる大金が外交官、軍人、外国語を必要とするスパイの訓練に費やされている。

個人が被るコストには、

時間と努力：高校で外国語を学ぶのには、時間、努力、コミットメント、動機、労力が必要とされるが、家庭ですでにマスターした言語の維持にはそれほどの労力はいらない。

知的コスト：モノリンガルの子どもは、（実証的研究によると）言語的、認

知的柔軟性が要求されるタスクをこなす言語能力を早期に発達させる機会を逃している。（1989, p.2-3）

カナダ人にとって（そしてアメリカ人にとっても）経済競争力の欠如や“安全保障”に関するパラノイアよりもはるかに重要だとわれわれが考えるのは、モノリンガリズムのコストである。それは、差し迫る地球規模の環境問題や社会問題の解決にあたって、他国と対等の立場で協力するだけの（語学）力をカナダ人が持っているかどうかということである。もちろんスノーやハクタ（1989）があげた経済面、外交面における狭義のモノリンガリズムのコストは、カナダにも当てはまるものである。

これまで述べてきた継承語強化の根拠がすべて何らかの形で“多文化教育”と関係があることは明らかである。しかしながら、カナダの“多文化教育”という概念は理論的にもまた実践面でも明確に定義されていない（多文化教育に関するカナダの現状分析については Mallea, 1988 を参照）。それゆえ、継承語教育を支持する根拠が多文化教育の枠組みのなかに統合されていないのは当然と言えよう。これとは対照的に、オーストラリアでは“オーストラリア（国家）言語政策”（Australian National Policy on Languages）という枠組みのなかで継承語の強化が多文化教育の広い目標のなかに位置づけられている（Lo Bianco, 1987）。次の節では、カナダの継承語論争にも関係があると思われるオーストラリアの言語政策の理論的、政治的経緯を概観する。そして継承語強化がなぜ必要なのか、その根拠を示す研究成果について検証する。

## 継承語と多文化教育――オーストラリアにおける理論的、政策的進展

オーストラリアの継承語教育の最近の動向から、カナダの政策立案者や教育者、そしてマイノリティグループが学ぶべきことが多い。第一に、オーストラリアでは、ほとんどの州で継承語あるいはLOTEs（Languages

Other Than English, 英語以外のすべての言語）を初等・中等学校で正規の授業として教えている（連邦政府と州政府の財政援助による）。また二言語を使って子どもの知的発達を促す多種のバイリンガルプログラムもある。（Kalantzis, Cope & Slade, 1989; Kalantzis, Cope, Noble & Poynting, 1989; Lo Bianco, 1989）。さらに、LOTEs と ESL カリキュラムの開発および指導上の枠組みは、きわめてバランスがとれ、かつ整合性を持っており、これらは世界の言語教育に重要な意味を持つものである（Scarino, Vale, McKay & Clark, 1988）。

“オーストラリア（国家）言語政策”の経緯に関して詳しく述べることは、本書の枠を超えるものであるが、その基底にある理論的根拠については触れる価値がある（Mallea, 1989 参照）。なぜならそれはカナダにも現存する“多元共存主義（pluralism）のジレンマ”を解決する道を示すものだからである。ロービアンコ（1989）によると、オーストラリアの多文化政策は部分的にしかメインストリームの学校教育のカリキュラムに影響を及ぼすことができなかったという。その要因を三つあげている。

1. 文化についての概念が誤っていること。特に“文化”を特定の（民族文化）集団が伝承する文化遺産と理解している点にある。むしろ文化的事象がどのように特定の社会構造に反映し、普遍的人類のニーズに応えているかを理解する手段として用いるべきである。つまり伝達された文化的知識は、（その特定集団の文化の理解にとどまらず）社会文化的現象そのものをより広い視野で批判的に見る目を養うものと理解するべきである。
2. すべての文化を平等に見る立場と一文化に対する理解を深める立場との折り合いがついていないこと。つまり多文化教育の主目的は何か、多くの子どもに最大の教育成果をあげることなのか、それとも特定集団の子どもの文化的背景に対する知識を深め、その文化に対する誇りを育むことなのか。
3. 言語と文化の維持の問題が、どこまでマイノリティグループの“私的”

な問題であり、どこまでが社会全体にかかわる公的な問題なのか。

ロービアンコ（1989）は、これら三つの難題を乗り越え、学校教育全体に影響を与える可能性を持つ新しい多文化教育の考え方が生まれつつあると言う。その新しい考え方とは、言語的、文化的多様性を（国の）資源としてとらえ、社会の重要な目標達成のために役立てることである。社会的目標にはオーストラリアの国際社会における役割が含まれるし、多文化主義が国際（協調）主義の国内版モデルとなる可能性がある。ロービアンコは、文化に対する意識を高め、オーストラリアの多様性をプラスに評価することが国際社会のメンバーとしての認識を高める有意義なステップとなりうると次のように言っている。

> 国際社会また地域社会に貢献する人材育成のための多文化教育は、個々人の文化的ルーツやアイデンティティのレパートリーを広げることもその一部であるべきである。……もしわれわれが児童・生徒に個の域を超えることを期待するのならば、それだけ児童・生徒のアイデンティティを強化する必要がある。……そのようなプログラムは、単にマイノリティグループの子どもの自尊精神を強め、高揚するばかりでなく、また単にマイノリティ、マジョリティグループの子どもに肯定的態度を教え込むだけではなく、文化そのものに対する分析的、批判的知識も同時に与えるべきものである。（1989, p.35-36）

ロービアンコによると、このような多文化教育の考え方は、子どもが学校に持ち込む技能、知識、意識が文化そのもの、およびグループ間の関係をより深く理解する土台になるという動的（non-static）な文化のとらえ方だという。よって、すべての文化を平等に見る見方と一文化志向との折り合いがつくというのである。なぜなら前者にとっては、マイノリティグループの児童・生徒の文化的背景がより大事な役割を担うし、後者にとっては文化が生活のなかで果たす役割について批判的な見方を育てることができ、その過程において子どもの文化的アイデンティティを強化できるからである。またどこまでが私的でどこまでが公的かという点でも、掲げる目標が明らかに普遍的で、すべての学校のカリキュラムに活かせるものであるから問題がなくなる。同じ目的のためになされるすべての私的努力（例えば、言語教育など）は、上に述べた一般的な公的な動きを強化することになるからである。

このように、マイノリティグループの文化と言語は、もし保持すべき資源、価値ある資源、社会の基盤となりうる資源というとらえ方をするならば、認知面でも、態度のうえでも国が目指す文化的、言語的柔軟性、技量、洗練された人材の育成に直接役立つものとなる。言い換えるならば、言語的、文化的多様性を社会的資源と見ることによって、少なくとも原則としては、カナダやオーストラリアを含め多くの国々の継承語論争で典型的な、“われわれ”と“彼ら”の対立を克服することができるのである。

次節では、個人的、社会的資源としての言語という概念を深め、継承語習得がどのように個々の子どもに影響を与えるかということに関する実証的研究成果を検証し、次にその概念が特定のマイノリティグループおよびカナダ社会全体にどのようなプラスをもたらすかについて考察する。

## バイリンガリズムの研究と継承語の促進

### ◉家庭における継承語の発達

家庭でマイノリティグループの言語を使うこと自体は子どもの学習のハンディにならないということを実証した研究がいくつかある。例えば、アルバータ州エドモントン市の英語＝ウクライナ語バイリンガル教育に関する研究（Cummins & Mulcahy, 1978）によると、家庭で常にウクライナ語を使い、ウクライナ語が流暢な児童・生徒は、英語しか話さない児童・生徒やウクライナ系カナダ人であっても家庭では主に英語を使う児童・生徒よりも、英文のあいまいさの検知においてより優れていることがわかった。また、モントリオールでイタリア系カナダ人の子どもを対象に行ったバートナガー（Bhatnagar, 1980）の調査によると、家庭でイタリア語と公用語（つまり英語かフランス語）の両方を使う生徒の方が、公用語のみを使用する生徒よりも、公用語の話す力も書く力も優れていたという。結論として「母語保持は……移住者の子どもが高度の学力を獲得し、公用語に堪能になると同時によりよい人間関係を築くというよい結果につながる」（1980, p.155）と言っている。

同様の研究結果がアメリカでも報告されている。例えば、ドルソン（Dolson, 1985）は、家庭でどの程度スペイン語を維持しているかという点から、小学校５年生と６年生のスペイン系アメリカ人生徒108人を対象に学力調査を行った。その結果、家庭の使用言語を継承語から英語にシフトした児童は、家庭でスペイン語を保持した児童と比べて、学習と関係のある英語能力の五つのテストの成績において明らかに劣っていたという。

これらの研究結果は、教師がマイノリティグループの親に、家庭では母語ではなく英語を使うべきであると忠告すべきではないということを示唆している。家で継承語を使うことによって英語の習得が遅れるという証拠はまったくない。事実、マイノリティグループの親自らが英語にスイッチした場合、英語力が母語と同じぐらい高くなければ、子どもとのインターアクションの質が（そして量も）低下するため、子どもの知的発達、学力にマイナスの影響を与える可能性がある。イギリスでモノリンガルの子どもを対象に10年間かけて縦断的調査をしたゴードン・ウェルズ（Wells, 1981）によれば、大人が子どもとどのくらい対話をするか、そして、子どもが話しはじめた話題を大人がどのくらい発展させるかということが、学校にあがってからの学力の獲得にかかわるきわめて重要な要因であるという。認知力、学力には二言語間の転移（transfer）があるので、このような対話が英語で行われようと母語で行われようと構わないということが、これまでのバイリンガルのデータで実証されている。

以上のような結果が意味することは、教師がマイノリティグループの親に母語を通して子どもと交流すること、また可能なかぎり子どもに（絵）本やお話に興味を持たせることを、極力奨励すべきだということである。このような経験を経て学校に入った子どもは、“今－ここ（here and now）”を超えた言語体験をしている点で有利である。また授業で成功するための鍵となる、抽象的な概念を説明したり、操作したりすることばの力を身につけているのである。

このような結論は、トロントのポルトガル系カナダ人幼児を対象に幼稚園児（４歳）から小学校１年児（６歳）までを縦断的に調べた最近の調査によっても確認されている（Cummins, Ramos & Lopes, 1989）。園児たちは３年の間に驚くほどの速さでポルトガル語を失っていた。24名の被験児のうち、４歳児の時点で大多数が英語よりもポルトガル語の方がはるかに流暢だったが、小学校１年生になったときにはほとんど全員が英語の方が流暢になっていた。しかもこの園児たちは、親や祖父母がポルトガル語しか使わない家庭の子どもたちだったのである。もう一つ明らかになったことは、就学前のポルトガル語力と英語力とには有意の相関があり、また小学校１年生の終わりに児童が到達した英語のリーディングのレベルとも同じくらい強い相関が見られたのである。学力の伸びは、人とのインターアクションを通して、どのぐらい深い言語的、知的刺激を、家庭や幼稚園で受けるかということと関係があるという結論を出している。このような刺激の媒体としてどの言語が使われるかということよりも、刺激の質の方が重要である。しかし、英語やフランス語より継承語の方が得意な親の場合は、継承語を家庭のコミュニケーションの媒体として使う方が、インターアクションの質がより高くなることは明らかである。

要するに、マイノリティグループの親に家庭で英語を使うように忠告することによって、子どもの学習面の発達の可能性（もちろん完全なバイリンガルになる可能性も含めて）を失うよりは、むしろ子どもの母語を使って（絵）本を読んだり、お話しを聞かせたり、歌を歌ったりして知的発達を促すように教師は親に強く勧めるべきである。この20年間、カナダの学校教育のなかで“多文化教育”が支持されるようになったとはいえ、現在でもマイノリティグループの親に家で英語を使うように忠告する教師が後を絶たないということは、おそらく“多文化教育”ということばが教育学部や学校制度のなかでいかに表面的にしか解釈されていないかということを如実に示すものである。

### ◉就学前教育（preschool）における継承語の奨励

継承語獲得・保持の促進のため、国際的に近年大きな関心を集めているのが、就学前の幼児プログラムの可能性である。ヨーロッパでは、このようなプログラムが継承語の基礎を正規の学校教育が始まる前に築くための一手段として急速に普及しつつある。アイルランド語、スコットランド・ゲール語、ウェールズ語、ブレトン語、フリージア語などが最近新たな活気を盛り返しているのは、そのような母語による幼児教育のおかげである。ニュージーランドでは、マオリ語の衰退を阻止するためにコハンガ・レオ（kohanga reo, 言語の巣）というプログラムがこの10年間に500以上も立ち上げられた。マオリ語の環境に浸すために生後１年目の乳児から受け入れるものである。このプログラムはニュージーランド政府の財政援助を受け、正規の職員とボランティアによって運営されている。そしてこのようなプログラムの存在が、小学校レベルのバイリンガル教育プログラムの設置に対して大きなプレッシャーともなっている。

カナダでは、私立のフランス語の幼児プログラムが主要都市に比較的よく見られるが、継承語の幼児プログラムとなるとほとんど存在しない。公立の幼稚園（Junior Kindergarten & Senior Kindergarten）に通う４歳から６歳の間に、継承語の力が急速な後退を示すということは、継承語の力を継続して伸ばすうえでいかに幼児プログラムが重要かつ現実的選択肢であるかを意味する（Cummins et al., 1989）。

前章で、ケープブレトンで最近始まったゲール語の児童保育グループについて触れたが、その他の継承語の就学前プログラムに関しては、詳細にわたって調査研究されたものはカナダにはたった一例しかない。それはヒンズー集会とシーク寺院との協力で、ブリティッシュコロンビア州ビクトリア地区の文化交流協会（Inter-Cultural Association of Greater Victoria）が始めたプログラムである。就学前の子どもを持つパンジャブ語を話す家族のために作られたものであり（MacNamee & White, 1985）、授業は月曜日と水曜日の午後2時間、場所は集会所として使われている地元の教会である。幼児たちが教師やパンジャブ語コミュニティのメンバーのもとで学んでいる間、大人（ほとんど祖父母）の方は英語（ESL）の勉強をするというものである。

マックナメーとホワイト（1985）によると、このプログラムの当初の目標は、母語の運用能力を刺激し強化する一方で、子どもたちが英語を使う最初のステップを助けることであった。しかし、すでに（英語の）幼稚園経験が少しでもあった子どもは、英語の手助けはまったく必要とせず、逆にパンジャブ語を使うように促さなくてはならなかったという。なぜなら母語を使うことやインドのテーマについて話すことに対して子どもたちが拒否反応を示し、それが昂じて伝統的な歌や物語を語ってくれる年配の人に対しても否定的な態度を取るようになったからである。このような態度は完全には消えなかったが、プログラムが進むにつれ徐々に変化していったという。

> 三週目までには二言語使用のバランスに変化が現れ、教室で遊んでいるときとか歌や詩を口ずさむときなどに、パンジャブ語がかなり使われるようになった。そして、ちょっとした教師の後押しで多量のパンジャブ語を発するようになったことから、子どもたちがいかに豊かな言語をすでに持っているかということを認識する必要がある。子どもの幼稚園経験が——多くの点で豊かな経験であったに違いないが——バイリンガル、バイカルチュラルをサポートするものではなかったことが、遊びのなかの次の会話から容易に推測

> できる。二人の子どもがパンジャブ語で話しているところに三人目の子どもが割り込んできて、「学校ではパンジャブ語はダメ！」と英語で言ったのである。(1985, p.21)

教師はこの時点で、必ずしもすべての人が二つのことばを話せるわけではないこと、そして二つのことばを話せる自分たちがいかに幸運かについて園児と話し合ったという。このように母語使用を奨励することによって、子どもたちがだんだんと自分たちの言語や文化について話すようになったという。

マックナメーとホワイトはさらに、二言語、三言語の維持がうまくいくのは、それぞれの言語が使われる文脈がはっきりしていて、それぞれの言語が特定の機能を果たしているからだと主張する。そして継承語の発達を主眼とする幼児プログラムは、家庭とコミュニティと協力して、英語というはるかに優勢な言語と直接競合しないですむように、継承語使用の文脈作りを助ける必要があるという。そのようなプログラムとは、

> ……一つの言語が伸びればもう一つの言語も伸びるのだから、二つの言語を同時に学ぶことが可能であることを実際に示し、幼い子どもたちのバイリンガル、バイカルチュラルな生活を可能にする。このパンジャブ語話者のように就学前教育そのものが彼らの文化的伝統になじみのないものであっても、自分たちの言語と文化を子どもに伝承しようと努力している家族にとっては、貴重な補助的支援となりうる。(p.22)

就学前プログラムは、マイノリティコミュニティに一つの枠組みを与えてくれる。そこで親たちが、将来子どもの学力の向上につながる子どもとの付き合い方を学ぶのである（例：継承語による会話、継承語の本の読み聞かせ、継承語の映画やその他の教育的催し）。しかし、このようなプログラム（の運営）にはコミュニティ自身が責任を持たなければならないとマッ

クナメーとホワイトは強調する。そして、彼らは、このようなプログラムを増やすことは、カナダでは決して不合理なことでもないし、実行不可能なことでもないという。実は「一つの言語と文化が芽生えはじめた（幼い）子どもがマジョリティ文化のなかの就学前プログラムを終えた段階で、すでに自らの家庭言語や文化を否定するようになる」(p.23) という“驚くべき”事実に対する、コミュニティや教育者の適切な対応と言えよう。

就学前バイリンガルプログラム実施の必要性に対するもう一つの理由は、低年齢の子どもでも二言語の読む力の獲得が可能だということである (Lado, Hanson & D'Emilio, 1989; Titone, 1988)。この分野の研究は、カナダには小規模なものしかないが (d'Onofrio, 1988)、今後特に低学力の危険にさらされる可能性のある子ども (children academically at-risk) を対象に調査研究をする価値のある分野である。

要するに、幼児継承語プログラムが継承語によって子どもの概念的基盤を築くうえで非常に大きな可能性を持っているということである。ただ現時点ではこの可能性がカナダでは最低限度にしか実現されていない。未就学児童のためのデイケア (daycare) プログラムが普及しつつある現在、マイノリティコミュニティがすべきことは継承語プログラムをこのなかに組み込み、子どもたちの母語と母文化を強める可能性を探ることである。もしそうしなければ、既存の保育・就学前プログラムによってすでに急速に母語が失われつつある現実にただ拍車をかけるだけである。

## ◉学校教育における継承語の発達

カミンズ (1983) はオンタリオ州教育省の委託を受けて継承語に関する研究調査を行った。その結果、学校の教科としての継承語教育の効果については、ほとんど研究がないことがわかった。しかし、バイリンガルプログラムがマイノリティグループの児童・生徒に与える影響に関しては、カナダ、アメリカ、その他に多くの研究があり、いずれも継承語を学校で全日、あるいは部分的に使用してもマジョリティ言語（英語）の学力には長い目で見て支障がないという一貫した結果を得ている。この結果は本質的にフレンチイマージョンと同種のものであり、学習能力の転移（transfer）が二つの言語間でかなりあるということを示唆している。別の言い方をすると、概念あるいは読み書き能力（literacy）と関係した言語能力において、第一言語と第二言語が相互依存的関係にあるということである(*1)。

バイリンガルプログラムによってマイノリティグループの児童・生徒の学習効果があがると同時に、親も子どもの教育に一層関与するようになったケースが多い。後者に関しては、70年代の中頃オンタリオ州で始まってすぐ消えた、短命な移行プログラムの評価報告にその記述がある（巻末の付録資料を参照）。例えば、トロント教育委員会の管轄下にある幼稚園（JKとSK）(*2)で行われたイタリア語＝英語の移行バイリンガルプログラムでは、児童がディスカッションに参加する率が普通クラスで英語のみで学習する児童よりも高かったという（Shapson & Purbhoo, 1977）。シャプソンとパーブフーは次のように述べている。

> クラスのディスカッションによく参加するということは、とりもなおさず子どもたちが学校を居心地のよい場所と見ており、自分たちが学校で大事な存在だと感じていることを示している。自己に対する（前向きの）イメージの指標と見なすことができる。(1977, p.490)

加えて、移行プログラムの児童・生徒の親は、普通クラスの親よりも学校行事やクラスのイベントに積極的に参加したとシャプソンとパーブフー

[訳注]

(*1) 言語間の相互依存性（Linguistic Interdependence）は、トロント補習授業校の在籍小学生（99名）を対象にした調査で、日本語と英語のように音声、文構成、思考パターン、表記法が異なる二言語間でも実証されている。(カミンズ・中島、1985)

(*2) 公立小学校に付属して設置されている幼稚部で、JKは年少組（Junior Kindergarten）、SKは年長組（Senior Kindergarten）の略である。二年保育が普通であるが、地域によっては一年保育のところもある。161ページ参照。

は報告している。

ケベック州の政府刊行物にも、継承語強化の心理的、教育的根拠に関する詳細な研究報告がある。どの研究も同様に、子どもの第一言語の力が将来その子が学校言語で学習するうえでの概念的基盤を形成するという結論を出している。例えば、教育高等委員会（Conseil Superieur de l'Education）は次のように指摘している。

> これまでの研究によると、児童・生徒が母語と社会の主要言語の両方を十分にマスターしない場合は、言語発達にも知的発達にも遅れをきたす傾向がある。（1983, p.40）

また、このようなマイノリティグループの児童・生徒のニーズを考えると、ケベック州の〈継承語教育プロジェクト〉（PELCO/PELO）の授業時間では不十分ではないかという認識もある。

> 児童・生徒のニーズを考えると、継承語の学習にあてがわれる時間（毎日30分）は決して十分とは言えない。しかし、少なくとも主要言語で獲得された概念を強化するのには役立っているし、またさらに、公立学校制度における継承語と継承文化の社会的地位（価値づけ）を人為的に吊り上げることにもなっている。（ 文化コミュニティ・サービス庁 Bureau des Services aux Communautés Culturelles, 1983, p.12）

オンタリオ州のマイノリティグループのなかには、たった週２時間半という学校教育のなかの継承語プログラムでは十分に継承語を育てるには時間数が少なすぎるという認識に基づいて、カナダ西部で行われているような〈バイリンガル強化プログラム〉（enrichment bilingual program）を主張するグループもある（例：Wynnyckyj, 1989a, 1989b）。平原三州のバイリンガルプログラムの評価研究によると、継承語を強化することによって子どもたちは学業成績にマイナスの影響はまったく受けないことが明らかにされているし、また実際のところ、逆に学力がより促進される面がある。例えば、エドモントン公立学校教育委員会（EPSB）の英語＝ウクライナ語バイリンガルプログラムの評価によると、授業の50％をウクライナ語で学習してきた児童たちが5年生ぐらいになると、英語の読みでも算数でも、統制群である普通学級の児童たちよりもずっと成績が上回るという。それまでの学年では両グループの間に一貫した差が見られなかったことから、英語で学ぶ時間がはるかに少ないということが、即英語の学習面の力が低いということにはならないという。これはフレンチイマージョンの評価結果と同じだが、フレンチイマージョンプログラムと異なる点は、ウクライナ語バイリンガルプログラムの児童たちが社会的にも経済的にもまた能力レベルにおいても普通一般の（エリートではない）子どもたちであるという点である（Edmonton Public Schools, 1980）。

オンタリオ州で実施されてきた継承語プログラムの大きな欠陥は、継承語が正規の教育制度の枠外に追いやられていることである。よって、“主流の”教師たちが子どもや保護者とのやりとりのなかで、子どもの母語を価値あるものと認め（valorization）、強化しなければならないという意欲も責任も感じないということである。この点について、1987年にカナダの多文化教育の先駆的な試みを視察に訪れたイギリスの研究グループ（Fox, Coles, Haddon & Munns, 1987）が、カナダの継承語をめぐるあいまいな態度は反人種差別教育に多く見られる賛否両論と同じようだと、次のように言っている。

一方では、運営も教育内容も素晴らしい継承語プログラムがある。しかしこのことが逆に継承語が主流の教育の一部ではないという事実から人々の目をそらさせ、母語の重要性を軽視する結果となっている。校長は継承語プログラムを管理しておらず、自校のものという意識を持たないことも多い。他機関に委ねられたプログラム（*3）であるがゆえに、学校側は子どもが家庭から持ち込む言語と文化を基盤にして独自の継承語プログラムを立ち上げようとするどころか、教師たちにそれを完全に無視するように奨励しているようなものである。(1987, p.20)

後に触れるが、継承語教育の最大の教育的成果は、言語そのものについての学習と言語に対する気づきの育成という一般的な言語教育とが統合されたときに、より効果的に引き出せるものと思われる。具体的に、継承語の教師、フランス語の教師、英語の教師がするべきことは児童・生徒たちに意識的に言語間の比較対照をさせ、言語学習と他の教科学習(例:社会と文化)とを結びつけることである。

このように、世界各地の多くの研究によって、バイリンガル継承語プログラムが子どもの学習に必要な英語力の獲得の妨げになるどころか、実際は学習全般によい影響を及ぼすことが明らかになっている。換言すると、トロント教育委員会の〈第三言語教育作業部会〉の報告書(1982)で承認されたバイリンガル、トライリンガル継承語プログラムは多くの研究成果の支持を得ているのである。しかしながら、実際の継承語プログラムの実施方法については、子どもの母語を学校環境から体よく"追放"して教育現場の体制維持をしているという点で、問題を抱えている州もある。このことが子どもたちに与える(マイナスの)メッセージは明白である。

## バイリンガリズムの知的発達と学力への影響

過去、マイノリティグループの多くの児童・生徒が学校の授業で困難に

[訳注]

(*3) 継承語プログラムのために公立の小中学校の校舎が放課後や週末に使用されるが、その運営・管理にあたるのは、教育委員会から派遣された校長であり、教員も教育委員会の生涯教育部(Continuing Education)によって雇用される。そのため、学校自体は、場所の提供をするだけで継承語プログラムにはまったく関与しないので、「他機関に委ねられプログラム」と言っている。

遭遇し、言語性ＩＱテストや読み書き能力テストにおいてモノリンガル児童生徒に比べて成績が劣るという状況があった。このような調査結果をもとに1920年から1960年にかけて、バイリンガリズムこそが子どもの言語上のハンディや認知面の混乱をきたす要因と学者たちが考えるようになった。また情緒的混乱に陥る頻度もモノリンガル児よりバイリンガル児の方が高いという研究結果も報告されている。こうして20世紀初頭には、教育者の間でバイリンガリズムがマイナスに評価され、母語こそマイノリティの子どもの学業不振の根元であると言って、学校側は競って母語を根絶しようとさらなる努力をしたのである。

しかしながら、実際は、初期のどの研究でも、被験者はたいてい学校側の強いプレッシャーで母語から多数派言語へシフトしつつあるマイノリティグループの児童生徒であった。北米では多くの子どもが学校で母語を話すと体罰に処せられ、母語の読み書き能力も十分に伸ばせないのが普通であり、学習困難や情緒不安定に陥る学童が多かった。しかし、これはバイリンガリズムによるものではなく、実際は児童生徒個人のアイデンティティを否定する学校教育の対応が問題だったのである。

最近の研究では、バイリンガリズムが子どもの人格形成や学力の発達にマイナスの影響があるどころか、知的にも言語的にもプラスの影響があることがわかっている。また、バイリンガル児はモノリンガル児と比べて、よりことばの意味に敏感であり、思考の柔軟性があるという研究報告も多い（Lambert, 1990 の文献研究を参照）。

一般的に言って、バイリンガル児が言語処理のある面においてより優れていることは当然である。二つの言語システムをコントロールする力を獲得する過程で、一言語にしか触れていない子どもよりもバイリンガル児の方がより多くの言語情報を聞き分けなければならないからである。したがって、バイリンガル児の方がモノリンガル児よりもそれだけ多くの意味分析の練習を積んでいると言えるのである。

ダネシ、シコグナ、メネシェラ、ガスパリ（Danesi, Cicogna, Menechella

& Gaspari, 1990）の最近の研究がこのいい例である。イタリア語を継承語として学んだ100人と、同じイタリア系ではあるがイタリア語を学習しなかった100人とを無作為に抽出して二つのグループを作り、英語の成績表（report cards）を使って英語力の比較をしたところ、英語のスペリングの力に有意差が表れ、継承語学習者の方がより優れていることがわかった。この結果は、継承語の学習によって児童・生徒の言語そのものに対する認識がより深まったことを示唆している。

最近のバイリンガル研究（1960年代初期以降のもの）の特徴として大事なことは、バイリンガル児というものが、ランバート（Lambert, 1990）が言う付加的バイリンガリズム（additive bilingualism）にいたる途上にあるという認識である。つまり、母語の発達を犠牲にせずに、第二の言語を自分のレパートリーのなかに加えた子どもたちだということである。その結果、彼らは二言語において比較的高い会話の力（流暢さ）と読み書きの力を獲得するのである。これらの研究に参加した子どもたちの多くは、母語が社会の主要言語であるため（自然に）強化される多数派言語グループの出身（例えば、フレンチイマージョンプログラムの英語話者）であるか、あるいは母語が学校のバイリンガルプログラムで（人為的に）強化されたマイノリティグループの子どもであった。

マイノリティグループの児童・生徒にとっては、高度のバイリンガル能力が獲得できるかどうかはどの程度まで母語が発達しているか、その度合いによって決まる。第一言語で思考する力が十分発達していない場合は、第二言語の認知面の力を獲得する基盤を欠くことになる。よって、もしマイノリティグループの子どもを付加的バイリンガルに育てたいならば、親が家庭のなかで子どもの第一言語を強めることがきわめて重要なのである。

## 第三言語学習に与えるバイリンガリズムの影響

マイノリティ言語を話す子どもたちは英語しかできない子どもたちより

もフランス語の習得が容易であることが、これまでの研究成果でもまた経験的にも実証されている。例えば、1969年、トロント教育委員会フランス語課（French Department of the Toronto Board of Education）は、次のような観察をしている。

> ……第三言語としてフランス語を学習する児童・生徒は、第二言語としてフランス語を学ぶ児童・生徒よりもフランス語の成績がよい。第二言語の習得が第三言語の学習に役立つようである。（Saif & Sheldon, 1969, p.7）

マックナメーとホワイト（MacNamee & White, 1985）も同じように、「二つの言語を学習するということは、将来第三言語を学ぶ際に計り知れない助けとなる」と言う。そして「イギリス系、フランス系以外のカナダ人で、先祖から継承された言語を習得、維持した若者たちは、二つ目の公用語も習得して後の人生に活かしていく傾向がより強い」と言っている（p.23）。

フレンチイマージョン研究初期のオタワ調査では、フレンチイマージョンプログラムに在籍するマイノリティグループの児童・生徒の成績がよいという、上記の推察を裏づけるような結果がいくつか出ている（Genesee, 1976 の論評を参照）。しかし、これらの研究は、この問題を直接扱ったものではないし、また社会経済的要因の統制もされていなかった。

継承語の力が次の言語（additional languages）の学習にプラスの影響があるということをもっとも直接的に、また説得力のある形で実証したのがスウェイン、ラプキン、ロウエン、ハート（Swain, Lapkin, Rowen & Hart, 1988）の研究である。対象になったのは、トロント市のフランス系教育委員会（Metropolitan Separate School Board, MSSB）の仏英バイリンガルプログラムに在籍する中学２年生、約300人である。小学校５年生から50％ずつそれぞれの言語で授業を受けてきている生徒たちを、次の四つのグループに分けてフランス語の力をさまざまな面から測定している。(a)継承語をまったく知らない、(b)継承語を多少知っているが読み書きはできない、(c)

継承語の読み書きはできるが積極的に使用していない、そして最後が、(d)継承語を理解し、実際に書くことにも使用する、の四つである。ちなみに、上のグループのなかでもっとも親の教育レベルが高く職業的地位も高かったのは(a)で、他の三つのグループにはこの点では差が見られなかった。

継承語の読み書きまでできる(d)の生徒が、他の三つのグループに比べて、フランス語の書く能力と話す能力がもっとも優れていることがわかった。また、一般的にフランス語の口頭能力では、ロマンス語系の生徒が有利だという傾向が見られたが、ロマンス語系生徒と非ロマンス語系生徒を実際に比べてみると、その差はそれほど大きくなかった。スウェインらは、知識や学習プロセスにおいて言語間の転移があるため、第一言語で獲得した読み書きの力が、その生徒が次の言語を習得するときに具体的な助けになると結論づけている。

以上、これまでの研究成果からわかることは、継承語の力を強化するということが個々の子どもの教育上の発達を促進するという主張にかなりの妥当性があるということである。子どもたちが継承語の読み書きを学んでいるときには、彼らはそのことばの読み書きだけを学んでいるのではなく、同時に言語そのもの、読み書きそのものについての一般的知識も深めているのであり、このことが他の領域の学習のうえで具体的な助けとなるのである。

## 多文化主義の中核としての継承語の推進

前章で指摘したように、多文化政策のなかで継承語教育をどの程度支援すべきかという問題について多くの議論が闘わされてきた。われわれの立場は、継承語の振興は多文化主義の不可欠な部分であり、もしそれが含まれない多文化主義は、内容のない単なるレトリックにすぎないという主張に強く賛同する。これは研究を通して実証的に証明できるものではなく、むしろ個人や集団の信念にかかわる問題と言える。多文化主義と継承語の振興とは不可分だということは、『行動への提案——オンタリオ州継承語プログラム』に提出されたウクライナ系カナダ人教育委員会（Ukrainian Canadian Committee School Board, トロント支部）の次の提言で明らかである。

> 家族のルーツ、伝統、文化との結びつきを強めるために子どもに豊かな教育体験を与えることは、自分自身を大切だと思う態度、自負心、自尊心を養うことにつながる。子どもがいったん自らに対して自信を持てば、カナダを形成する多様な民族背景を持つ子どもとその知識や経験を分かち合うことができる。子どもが先祖から伝えられた民族文化を大切だと思い、それに対する誇りを持ち続けるためには、州の教育制度のなかで子どもの民族文化コミュニティのルーツを強める教育がなされなければならない。子どものルーツは、“あればそれだけ豊かになる（がなくてもすむ）”（enrichment）というものではない。子どものルーツとは、子どもの存在そのものであり、絶対に欠かせない中核の部分なのである。子どもを全体として見るとき、家庭、文化的ルーツ、社会一般と、三つに切り離して考えることは不可能である。よって、継承語教育は、生涯教育（より豊かになるための教育——enrichment）の一部としてではなく、子どもの全教育にかかわる総合的な部分で行われるべきものである。(1987, p.2)

このような議論は、通常の学校制度においては、子どもの母語や文化がきわめて急速に失われつつあるという文脈のなかで考えると、説得力のある議論となる。子どもが保育園・幼稚園、小学校、中学校、高等学校を通じて自らの言語や文化は校門のところに置いて入るべきところという学校側の明白なメッセージを受け取るとき、教育制度はその子の全人教育を否定したことになる。子どもが自らの文化的ルーツに対する理解を深めるためには継承語を伸ばすことが何よりも重要だということは、次のトロント市の継承語論争に関する記事でも明らかである。

ギリシャ語を母語とする親、ニック・マニマナキス氏は同意する。「もし自分のルーツを知らなければ、あなたはゼロに等しい」と。多くの移民家族には、子ども、親、祖父母の間に大きな言語的亀裂がある。「私の子どもたちは、今は家で私たちがギリシャ語を話すのに慣れている」とマニマナキス氏は続ける。「子どもたちはギリシャ語で祖父母と話すこともできるし、ギリシャ語で親戚に手紙を書くこともできる。このような自分のルーツに対する自信と誇りこそ、われわれが子どもたちに与えることができるもっとも価値のあるものである」。(Elwood, 1989, p.25)

公用語担当長官（Commissioner of Official Languages, Max Yalden）は、カナダ全域にわたって織りなす多文化コミュニティを保持するためには、多言語主義の推進こそが必要不可欠であると、1983年に出した報告書「継承語――絶滅の危機に瀕することば」(Heritage Languages: Endangered Speeches）で、次のように実にうまく表現している。

カナダ人は英語とフランス語以外に、それぞれユニークな文化を誇る100以上の言語を擁している。カナダ（政府）はこれらの文化遺産に敬意を表することを公約したが、文化を表現するための主要ツールである言語については、その方針を明確にしていない。これらマイノリティグループの言語がごくわずかでも制度上の支援を得られなかった場合にどのような運命をたどるか、言語が消滅の危機を免れえないものであることは周知の事実であり、答えは明らかである。……確かに公用語を母語とするカナダ人は、継承語支援を制度化することに対して好意以上の態度は示さないであろう。しかし彼らは継承語のなかに具現化される文化遺産に対して反対しているのではない。それどころか、その文化的伝統がマイノリティグループ自身の関心事であるかぎり、われわれが共有する生活環境を豊かにするものと考えるのである。しかし問題は、どこまで多言語の伝統を培うことができるのか、あるいはどこまでそれを許すべきかということである。残念なことに、カナダ社会の分裂につながるのではないかというごく普通の疑念は、異質なものに対する嫌悪感に変わるし、また実際にそういうことがよくあるのである。政府は社会を統合する任務があるが、同時に偏見を排除する義務もある。…… 英語とフランス語以外のカナダの多言語に対しては、ある程度の制度上の支援と地域コミュニティによる適度の奨励こそ、カナダという国の可能性を奪いかねない狭量、臆病、追従から逃れる一つの方法であるとわれわれは信じるのである。(1983, p.23-24)

## カナダ社会にとっての多言語主義のメリット

われわれは現在、文化的にも、経済的にも、環境においても、近代科学においても、ますます相互依存的な世界に生きている。通信技術によって情報は瞬時に世界中を飛び交うし、人々の移動が激しく、環境の災害は全世界に影響を与える。ということは、地球上のさまざまな問題に対処するために、われわれの子どもたちが異なる文化や言語の人々と協力しようとする意欲を持ち、その力を伸ばす必要がある。カナダの子どもたちが生まれながらにして持っている言語能力を維持伸張することは、明らかにこの地球規模の相互協力に直接つながる。国際社会のなかでカナダがその将来的役割を果たすうえで必要となる、多言語能力や異文化理解の重要性を否定する態度は、狂信的愛国主義（chauvinism）であるか、あるいは外国人排斥主義（xenophobia）以外の何ものでもない。

本章で前に触れたように、多言語主義論争の経済的、外交的な側面が、アメリカ、カナダの多くの評論家によって強調されてきた。子どもたちが家庭で習得する多言語の力がカナダの経済や外交にとって甚大な価値を持つ人的資源だと言うのである。このような主張にはもちろん妥当性があるが、継承語の力を強化するためのより基本的な根拠、例えば、（学力が危険にさらされる）マイノリティグループの児童生徒に教育の平等を保障するためのバイリンガル教育の重要性、子どもの知的発達を促進する多言語能力の有効性、国際協力を促進するための多言語能力の役割などを抜きにしてまで強調されるべきではない。危険なのは、"経済的に重要な"継承語（例：ブリティッシュコロンビア州の環太平洋諸言語）は政府の支援を受けるが、"経済的に重要でない"継承語は軽視されることである。継承語強化の必要性に対するこのような考え方は、どの子どもの知的発達にも継承語が大切な役割を担っているということ、またカナダの国際的役割が狭い経済活動や外交の域にとどまらないという事実を無視するものであり、きわめて近視眼的、偏狭な見方だと言わざるをえない。以上のような点を指摘したうえで、ここで、カナダの児童生徒が多言語能力を伸ばすこと（あるいは伸ばさないこと）に関する経済的意味について、これまでの議論を簡単に振り返ってみたい。

継承語教育の擁護者たちは、オンタリオ州教育省に『行動への提案』を提出する際に、子どもの言語資源がカナダの経済的安定と国際的影響力につながるという議論をしばしばしてきた。例えば、（当時のオンタリオ州首相）デイビス（Davis, 1987）は次のように言っている。

> もしカナダの教育システムのプロダクト（つまりカナダ人）が、言語能力においてもまた"競争相手"の文化の理解度においても、経済的－政治的－競争相手と対等な立場で闘うことを可能にするのであれば、（継承語教育は）カナダに利益をもたらすものと言える。（p.11）

ノーザンテレコム元会長のウォルター・F・ライトが1985年4月のスピーチで同様な考えを述べたことが、フレンチイマージョンの保護者の会報『カナディアン・ペアレンツ・フォー・フレンチ・ニューズレター』（*Canadian Parents for French Newsletter,* 1985, p.3）に掲載されている。ライトはこう言う。「カナダは、激しい国際競争のなかで世界的貿易国となるよう一層努力する必要がある。さもなければ、ますます強まる海の向こうの競争相手の攻撃に屈して北米市場に閉じ込められてしまう危険性がある」。続けて「われわれはバイリンガルの国になりたいかどうかというような馬鹿げた論争をやめにして、世界市場では多言語能力が勝者と敗者を分けるという事実を謙虚に受け入れるべきである。英語は確かに商業、科学の共通語ではあるが、英語で成立する取引よりも、イタリアではイタリア語、フランスではフランス語、ドイツではドイツ語で成り立つ取引の方が多いのである」。

日本語についても、ドナルド・コックスが1985年２月の『カナディアン・ビジネス（*Canadian Business*）』に次のように書いている。

> 日本語をマスターせずに日本の文化やビジネスの慣習を理解しようとしても失敗するのは目に見えている。にもかかわらず、われわれは常に日本語の話せない人によって書かれた日本のビジネスの分析を読まされている。彼らは東洋に１ヶ月ぐらい旅行し、翻訳された本を読んで学ぶのだ。それは、ちょうどクリケット選手によって書かれた野球の記事を読むようなものである。……もしカナダが真剣に環太平洋地域こそ経済活動が実際に起こるところであり、将来的にも大事だと考えるのならば、われわれは若者にその地域の言語が流暢に話せるようになる機会を与えて、経済活動に参加できるようにする必要がある。今日、白人が抱えるもっとも大きな重荷は、表意文字に関してまったくの無知だということである。そのうちにこの重荷に耐えられなくなるときが来るに違いない。(Donald Coxe, 1985, p.194)

1984年３月、連邦政府多文化局は、カナダ経済に関する勅令委員会（Royal Commission on the Economic Union and Development Prospects for Canada, マクドナルド委員会）に報告書を提出し、そのなかで人種差別と不十分な継承語教育によってもたらされる経済的ダメージについて触れている。多文化主義の維持と継承語の強化には確かにコストがかかるが、長い目で見るとカナダの多文化資源を維持しないことから生じるコストの方がはるかに大きいことを認識すべきであるという。そして、グローブ・アンド・メール紙（1983年10月12日）のウイリアム・ジョンソンのコラムから次のような引用をしている。

> 小学校１年生になってもウクライナ語、イタリア語、中国語、ギリシャ語などが話せる子どもの継承語の力を有効に利用しないのは貴重な資源の浪費であると私はずっと思っていた。……学校教育のなかでそれだけの基礎的な言語能力を産出するには時間もかかるし、費用も高くつく。だが、実際われわれはその貴重なことばの芽を学校制度のなかで摘み取ってしまっているのだ。事実上、イタリア語も、ドイツ語も、ポルトガル語も、日本語も、カナダの学校にとってまったく意味がない存在だと言っているのと同じである。（Collenette, 1984, p.23 より引用）

継承語を強化する方が経費の面でずっと効率がよいということに関して、オデッセイウス・キャットサイティス教授がオンタリオ地域委員会を代表してオンタリオ州議会に提出した報告書のなかで具体的に述べており、それを新民主党（NDP）の教育専門家リチャード・ジョンストンが、1989年６月６日、州政府の継承語の法制化が議題となったオンタリオ州議会でその詳細を引用している。ジョンストンによれば、カナダ政府は外交官の日本語の訓練に必要な経費、すなわち公務員をオタワから２年間日本語学習のために日本に派遣する費用を50万ドルと見積もっているという。同様に、もし2000人のギリシャ系カナダ人の若者が外交、商業で国際的に活躍できるほどのギリシャ語能力を維持していれば、カナダにとって２億ドルの価値があることになると、オンタリオ州ギリシャ系カナダ人連盟（Hellenic-Canadian Federation of Ontario）が見積もっているという（*Hansard*, June 6, 1989, p.982）。

要するに、ポイントはきわめて明快である。言語資源はカナダの石油や森林と同じように間違いなく経済的資源なのである。過去、われわれの無知と偏見によってこの事実が認識されていなかった。そして今日でさえほとんどの州において、一部の住民の利害関係と政治的圧力に絡んで、創造的、効果的な継承語の促進が可能であるにもかかわらず、そのまま放置されている。特に、通常の学校の教室のなかで言語的、文化的多様性に対する価値づけがなされていないため、言語資源を浪費しており、そのためにカナダ国民は莫大な額の税金を払わされているのである。

## まとめと結論

なぜ公立学校のなかで継承語を強化すべきかというと、その根拠は継承語教育が個々の子ども、民族文化コミュニティ、そしてカナダ社会全体に与える潜在的な影響力にあると言える。子どもへのプラスの影響に関しては、二言語使用、三言語使用が子どもの知的発達全体にプラスに働くということがすでに実証されている。自らの文化と言語のうえに形成された人格的、概念的基盤は、子どもに自信を与え、知的発達を促し、そして他言語の習得に成功させるのである。

また、子どもの人間的成長において、それぞれの民族文化コミュニティの文化と伝統に対する知識と理解に根を下ろすことの重要性を強調する人もいる。コミュニティの存続は、帰属意識を持続する次世代、また部分的にでも持続する次世代にかかっている。子どもにとって継承語の知識は、祖父母、場合によっては両親との個人的な連携を可能にする鍵であるばかりでなく、子ども自身がその一部である民族グループ全体の歴史をひもとく鍵でもある。

これら二つの議論の延長線上に、継承語教育の社会全体へのメリットがある。カナダ人一人一人が言語能力を無駄にせずにそれを維持伸張し、同時にカナダ社会に対する帰属意識に加えて自らの民族文化に対する強い帰属感も合わせ持つことによって、カナダという国は一層強くなるのである。また、ますます相互依存性が強まる国際社会におけるカナダの役割についても、継承語教育には具体的な効用がある。カナダは国際理解と国際協力を推進するうえで積極的な役割が担える人材を必要としている。これには、一言語だけではなく複数の言語で話したり読んだりできる人材が効果的である。加えて、多言語能力を持つビジネスマンや外交官がますます必要とされ、そのような能力を持つ成人の育成には莫大な費用を要するのである。より創造力を駆使した継承語教育への積極的な取り組みとともに、学校のなかで子どもが持ち込む継承語能力を価値のあるものと見なし、教室のなかでその伸張を促すような方向に態度を変えることが、カナダの国際的な影響力を高めるうえでもっとも効率のよいあり方なのである。

もちろん、継承語の教育的メリットに関する問題には、社会、政治、行政、財政上の諸問題がきわめて複雑に絡んでいる。要は、子どもの継承語能力を伸ばすために、公教育のなかの"多文化主義"に対する社会的コミットメントが、どこまで民族文化コミュニティとの協力を可能にするか、という点である。もしそれが可能にならなければ、多文化主義とは、頑強な同化政策をあいまいにする、単なるうわべだけの美辞麗句にすぎなくなるであろう。

次章では、ある特殊なマイノリティ言語グループ、すなわち、ろうコミュニティ（Deaf community）と、ろう教育を革新するうえでの継承語/バイリンガルプログラムの役割について論考する。この事例研究によって、マイノリティグループの子どもが享受する教育の機会にいかに社会的な力関係が関与してきたか、またこれからも関与し続けるかということを明らかにしたいと思う。

◆原注

(1) SOHLの小冊子『継承語があなたの世界を広げる！』（*Heritage Language Can Bring the World to You,* 出版年不明）からの引用。

# 第5章

# 声の否定

## カナダの学校教育におけるろう児の言語の抑圧[1]

近年カナダとアメリカの「ろう」コミュニティ[2]は、ASL（アメリカ手話）[*1]を学校教育機関のなかで、教科学習の媒介語として用いる正当な授業言語として認めるべきであるという要求を出した。このような教育権の主張は、ワシントンDCにあるギャローデットろう大学[*2]の学生たちが、1988年の春、聴者である学長の任命を拒否し、ろう者であるI・キング・ジョーダン博士を、ろう者で初めての学長に大学評議会が任命せざるをえない状況にいたらしめたことから、一般の人々の注目を浴びるようになった。北米唯一のろう大学においてすら、ろう者の学長が1988年に初めて誕

[訳注]

[*1] ASL（American Sign Language, アメリカ手話）は、米国のろう者の多くが主たるコミュニケーション手段として使用している手話であり、人為的に作られたものではなく自然に生まれた言語である。それは親から子へ伝えられるもので、両親がろう者である場合は子どもはASLを第一言語として学ぶ。

なお、ASLに対して、英語対応手話（Signed English）というものがあり、それは英語の語順に従ってジェスチャーや音声も併用する手話英語方式である。ギャローデット大学の教授らによって1973年に人為的に考案されたもので、手指英語方式のなかでもっとも簡単なものと言われているが、ろうの子どもが自然に獲得するというものではない。

[*2] 1864年、米国ワシントンDCに、ギャローデット（Edward Miner Gallaudet）によって設立された世界唯一のろう学生のための大学。学生のほとんどが重・軽度の聴覚障害である。1988年、一週間にわたる教員、学生、ろうコミュニティによる抗議運動の結果、ろう者であるキング・ジョーダンが初めてのろうの学長として選出された。この抗議運動が成功したことは、ろう者にとって重要な歴史的できごととして、コミュニティのなかで高く評価されている。

生したということは、とりもなおさず何世代にもわたって多くの国のろう者やろう児の教育を特徴づけてきた家父長主義（paternalism）を反映するものである（ろう者の歴史についてはレイン〔Lane, 1984〕の優れた研究がある）。ろう教育関係者のなかからろう者を排斥し、学校でASL使用を抑圧してきたという事実こそ、このような家父長的権威主義を雄弁に物語っている(3)。その結果として、多くのろう児が最低限の英語の読み書き能力しか持たずに学校を去り、社会の下積みの仕事に甘んじるという状況をもたらしたのである。

ろう児教育がオンタリオ州で注目を浴びるようになったのは1989年のことである。州の教育省が教育政策を見直し、そのなかでも、もっとも効果のあがる授業言語は何かということについて再検討を始めた。選択肢としては、聴覚口話法からASLまでが含まれていた。

現在オンタリオ州では、課外授業としての継承語プログラムの一つとしてASLを教えることは一般に受け入れられているが、学校の正課の授業言語として使用することに対しては抵抗がある。継承語をめぐるこの論争は、継承語教育の根底にある課題、とりわけマイノリティ言語の子どもがどうして教科学習上、困難を経験するのか、その原因は何か、また困難を回避するために子どもの第一言語がどのような役割を果たすのか、ということを理解するうえで役に立つ。つまり、学習困難の回避のためには、どのような状況で、子どもの第一言語や継承語を教科学習の媒介語として使用することが望ましいのか、あるいは使用しなければならないのかということである。同じマイノリティ言語を母語とする子どもでも、学校で学業不振に陥る危険性がない場合は、継承語という教科として手話を学べばよい。それは、より豊かな教育につながる。しかし、マイノリティの子どもが学校教育で失敗する危険性を持っている場合は（例えば、ろう児、先住民の子ども、マイノリティであるカナダのフランス語話者の子どもなどのように）継承語を教科学習のツールとして使用すべきだということがこれまでの研究によって実証されている。目標は、自らの言語と文化のルーツに誇りを持つこと、学校教育で成功するという自信を育むこと、そして現在置かれている個人的、社会的状況をコントロールし、変革していくために、現実を見つめて問題に気づく力を培うこと、つまり子ども自身をエンパワーすることである。

本章では、まず「ろう」教育においてどのような授業言語の選択肢があるのか、次に、ろう者と聴者との間に存在する力関係の社会的、歴史的背景、そして最後にろう児や他の学校教育で「危険にさらされる」（at risk）マイノリティの子どもの教育を分析するための枠組みを提示したい。

## ろう児の指導法の選択肢

聴覚口話法とは、補聴器の助けを借りて、残存聴力を少しでも伸ばして読唇と口話の力を育てることである。19世紀後半から1970年代にかけて、北米やヨーロッパのろう教育では、この聴覚口話法が、どこでもほとんど例外なく使われていた（Lane, 1984）。子どもは学校で口話法の集中的訓練を受けなければ、みな手話を頼みの「杖」（crutch）として使うようになってしまうというのが主な理由である。

トータル・コミュニケーションという概念に基づいた教育プログラムがこの20年間増えている。トータル・コミュニケーションというのは、それぞれの子どもの聴覚障害の程度によって、適切なすべてのコミュニケーション・モードを育てようとするものである。トータル・コミュニケーションプログラムは、同時的コミュニケーションの方法をとる。同時的コミュニケーションというのは、聴覚から得られる情報を保持しながら、英語対応手話（サインで英語を表示するために人為的に作られた各種システムの総称）を使用することによって視覚情報も同時にとらえる方法である（Israelite, Ewoldt, Hoffmeister et al., 1989）。

第三の指導法は、ASLという英語以外の言語を表す手話（すなわち、サイン）を中心とした方法である。これは「ろう」コミュニティの言語・文化の価値を認めるもので、バイリンガル・バイカルチュラル教育を含むものである。ASLによるコミュニケーションで培われた認知能力の基礎のうえに、英語を第二言語として導入する。このバイリンガル・バイカルチュラルアプローチは、アメリカでもカナダでも、「ろう」コミュニティの間で強い支持があるにもかかわらず、聴者（である）専門家が支配するろう教育の権力構造のなかで、少数の例外を除いてはすべて否定されている。

口話法一色であった「ろう」教育が、徐々に口話法から離脱しようとする動きは、ASLが精緻な規則性を持った論理的な言語であると認知されるようになったのと、ときを同じくしている。また、手話の習得が聴児の話しことばや言語の獲得と同じような発達段階を踏むということも明らかにされてきた（Baker & Battison, 1980を参照）。

われわれは、次のような（反論の余地のない）三つの理由で、ASLをろう児の教科学習の主要媒介語として使用するべきだと主張したい。

◆まず言語による人と人との相互交流が、子どもの学力獲得に必要な認知力の基礎を作るうえで中心的役割を果たすこと。幼児期にASLを習得する機会に恵まれなかった重度の聴覚障害児は、人との交流に限界があるため、認知力の発達が阻まれる。認知力の基礎のある子どもの方が、認知力の基礎を欠く子どもよりも、書記英語や音声英語の習得にあたってより力が発揮できる。もし学校の授業で音声英語の習得という苦行に、子どもの精神的エネルギーが費やされてしまうと、学習や知的探究のためにことばを使う時間的余裕も精神的エネルギーも残らない。また、英語対応手話は、人が便宜上作ったものであるから、ASLと同レベルの視覚メディアとしての効力が期待できないため、授業言語として適切なツールとは言えない。

◆自信を持って教科学習に取り組むためには、その前提として、自分の文化のルーツに対する誇りと自信が不可欠であること。教室のなかで「ろう」コミュニティの文化と言語の価値が認められていなければ、子どもは外部から押しつけられる否定的な自らのイメージを内面化してしまい、積極的に学習に取り組もうとはしなくなる。

◆ ASLを教科学習の媒介語とし、ろう児の教育や評価にたずさわる教職員がASLに堪能になることを義務づけ、「ろう」コミュニティと聴者コミュニティとの力関係をより均等化すること。

ASLを継承語として毎週2時間半の課外授業で学ぶことは許容するが、正課の授業で授業言語として使用することは否定するというのでは、上記のようなニーズに応えることにはならない。第一に、ろう児の学力をサポートする基礎認知力を伸ばすプログラムとしては不十分である。第二に、通常の学校では、ろう者のロールモデルもなく、ろうの文化も言語も不在であるため、自分の言語や文化に対する誇りを育てるには不十分である。そして第三に、「ろう」コミュニティの文化・言語が従属的立場にある社会の権力構造をさらに強めることになる。

ただ、ASLを継承語の一つとして教えることは、ASLを習おうとする健聴児にはそれなりの役割があるだろう。例えば、ろう児のきょうだい、友だちなどにとっては、「ろう」コミュニティの言語を学ぶよい機会になるし、聴覚口話法で、ある程度学習効果があげられる残存聴力を持ったろう児にも適当であろう。

## 言語マイノリティとしてのろう者

「ろう」コミュニティの歴史的経緯は、抑圧されてきた少数派グループや植民地の被支配者グループと共通するところが非常に多い。例えば、グロージャン（Grosjean, 1982）は次のように述べている。

アメリカのろう者は、アメリカの少数言語グループと多くの共通面を持っている。まず自らの独自の言語と文化を持っていること、教育や就業面で多大な差別と偏見を受けてきたこと、自らの言語と文化に対する主要グループの否定的態度を受容していること、そして、彼らの大部分が――少なくともある程度は――バイリンガルであること。(p.88)

しかし、グロージャンも指摘しているように、ろう児と他の少数言語グループの子どもとの大きな違いは、「ろう」コミュニティへの参加とマイノリティ言語の習得が、ろう児の家庭のなかでは(自然には)起こらないことである。それは、ろうの両親を持っているろう児は全体の10%以下しかおらず、ASLを母語とする親が非常に少ないからである。ASLは、仲間の子どもや少数の成人ろう者をモデルとして学校で(自然に)習得される。その結果、それぞれの子どものASL、英語対応手話、書記英語、音声英語の習得レベルによって、いくつか異なった形のバイリンガルが生まれる。かつて、ASLはしばしば嘲笑の対象となり、教室外でも使用が禁止されていたため、ろう者の多くが公共の場で自分たちの言語を使うことを恥じるようになったのである。

ハーラン・レイン(1988)はろう者の特徴と、植民地支配者によって押しつけられた被支配者イメージとが酷似している点を次のように指摘している。

ろう者に特有なものとしてあげられる特徴には一貫性がない。「闘争的」であると同時に「隷属的」、「ナイーブ」であると同時に「小賢しい」、「冷めている」と同時に「情熱的」、「爆発的」で「引っ込み思案」、「懐疑的」で「信じやすい」。ただし、いずれも否定的なイメージであるという点では一致している。(p.8)

レインは、こういう特徴はろう者本来の特性というよりは、聴者専門家たちの家父長主義的な態度を反映するものであると言っている。メミ(Memmi, 1966)によると、ろう者が劣性だという見方は、植民地支配の人種偏見のもとに機能していた支配統制プロセスと同じだという。

(a)まず違いを見いだす。
(b)その違いを支配者に有利に、被支配者に不利になるように価値づける。
(c)その違いを絶対化し、決定的なものとして行動させる。

北米でも、低学力に悩むマイノリティ児童・生徒（アメリカの黒人、スペイン系、先住民、およびカナダの黒人や先住民など）の間で、同じようなプロセスが見られた（現在においてもまだ見られる）。

ということは、ろう児が置かれてきた状況と、他の多くのマイノリティグループの子どもの状況には、社会学的にも、言語的、教育的にも驚くほどの類似点があるということである。社会学的観点から見ると、ろう者は主流の一般社会からは、生まれつきの劣者と見なされ、ろう者自身もそれを内面化し、自分自身劣等感を抱いてしまうという点で、オグブ（Ogbu, 1978）の言う「カースト制度のような」マイノリティの特徴を有している。学校では、ろう者の言語と文化の価値が引き下げられ、抑圧され、学業不振はろう者生来の言語的、知的欠陥のせいだと見なされる。他のマイノリティグループと同様、ろう教育のあり方自体が、ろう児の教育に対して厳しい批判の目を向けることを阻んできたのである。

ろう児の学業不振を何とか逆方向に転換させる方策としては、図5−1に示した枠組みが考えられる。

## ろう児の低学力の転換

図5−1の教育介入の枠組みは、マイノリティ児童・生徒の低学力の一般的な原因を明らかにし、そのパターンを逆方向に転換させるのに必要なモデルを提示したものである。このモデルはろう児が置かれてきた歴史的状況にも、また現在置かれている状況にもあてはまるものだと思う(4)。

この図は、学校での教育者の子どもとのかかわり方次第で、子どもがエンパワーされたり、あるいは逆に障害児とされたりすることを示している。子どもとのかかわり方は、それぞれの学校教育機関が持つ四つの面と関連しており、教育者の果たす暗示的（または明示的）役割の定義づけによって変わってくる。これら四つの面とは、(a)子どもの母語と母文化が学校のなかでどのぐらい用いられているか、(b)マイノリティコミュニティが、子どもの教育の重要な部分にどのぐらい参入しているか、(c)子どもが自らの知識体系を生み出すためにことばを進んで使うことを促す内因的動機が教授法によってどのぐらい高められているか、(d) 評価にあたる教育専門家が、

図５－１　マイノリティの児童・生徒のエンパワーメント――教育介入の枠組み

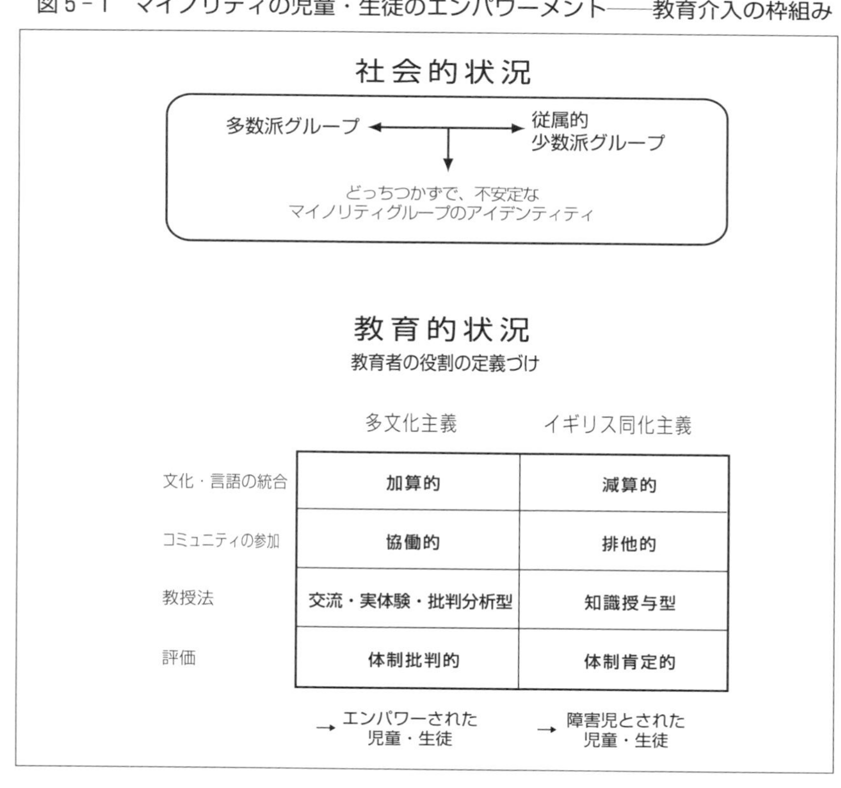

マイノリティの子どもの「問題」を、ただ体制肯定的に受けとめるだけではなく、子どもの置かれた状況を踏まえて、どのぐらい体制批判的にとらえているか、などである。

こうした、学校という場での人と人との交流形態は、一般社会での多数派グループと従属的少数派グループの間にも見られる相互関係を反映している。一般社会で「ろう」コミュニティが弱い立場にあるのと同じように、学校ではマイノリティの児童・生徒が障害児として、弱い立場に押しやられているということがこの枠組みの中心課題である。どちらの状況でも、弱者は、公共機関や個人的な支援にもかかわらず、自分が劣っているから不成功に終わったと思い込まされる。機会は平等に与えられているのだから、失敗は個人の責任であるというのである。このように分析していくと、もし学校教育の場で、二つのグループの相互関係をある程度まで一般社会のそれと逆方向に転換させることができれば、マイノリティの子どもが学校で成功する可能性も高まるということを示唆している。

マイノリティ児童・生徒の学業不振のパターンを国際的視野から見ると、少数派と多数派との権力関係と社会的格差がその主要因となっていることがわかる。よくあげられる例であるが、フィンランドの子どもたちは、彼らの社会的地位が高いと見られているオーストラリアでは学業に成功をしているのに対して、地位の低いグループと見なされているスウェーデンでは学業不振に悩む（Troike, 1978 を参照）。同様にオグブ（1978）の報告によると、社会的地位の低い日本の被差別部落の子どもは、日本では学業成績が低いが、差別のないアメリカでは、他の日本人の子どもと差はないという。

このような実証的データに対して、研究者が相互に関係のあるいくつかの概念的枠組みを提唱し、マイノリティグループの子どもの学業不振を説明しようとしている。例えば、カミンズ（Cummins, 1984）は、家庭文化と学校文化の間の「二文化アンビバレンス（あるいは文化的帰属意識の欠如）」が学業不振の原因であるとし、オグブ（1978）は、マイノリティの子どもの低学力をマイノリティグループの「カースト制度」と関連づけて、その学業不振の原因が経済的、社会的差別と、多数派グループによって押しつけられた社会的劣位の内面化との組み合わせによると主張する。フォイアスタイン（Feuerstein, 1979）は、成績がふるわないのは、世代から世代へと自文化を継承するプロセスが中断されることから生じる、つまり自文化に対する疎外意識に起因しているという。以上どの議論においても、もしマイノリティグループの子どもが、自文化にも多数派文化にもどちらにも前向きの姿勢を持つことができれば（カミンズ）、また多数派グループの抑圧による劣等感の内面化がなければ（オグブ）、そして自文化の価値の伝承から疎外されていなければ（フォイアスタイン）、学校教育のなかで成功する可能性が大きいということである。

## ◉文化・言語の統合

学業不振の危険にさらされるマイノリティグループの子どもが、学校で成功するかどうかは、学校教育のなかで、マイノリティの言語と文化がいかに統合されうるか、また、その統合の度合いによって決まると主張する研究が多い（先行研究のまとめは Krashen & Biber, 1988; Cummins, 1983, 1989 を参照）。マイノリティの子どもが学校で成功するには、第一言語の集中的な学習を通してしっかりとした認知・学習面の基礎をつけると同時に、自文化への確固たる帰属意識を持つことが必要である。マイノリティの子どもへの教育の目標は、すでに持っている母語のうえに、第二のことばと文化を加えることであって、その過程で母語を失わせるようなことがあってはならないのである[*3]。

[訳注]

(*3) 図5−1（p.106）では、これら二つの概念をカナダのマギル大学の言語心理学者ランバート（1977）が提唱した「加算的」、「減算的」という用語で表している。つまり、すでに子どもが持っている第一言語と母文化のうえに、第二のことばと文化を加えることを「加算的バイリンガリズム（additive bilingualism）」と言い、逆に第二のことばと文化を習得する過程で、すでに持っていた第一言語と母文化を失うことを「減算的バイリンガリズム（subtractive bilingualism）」と言う。

ヨーロッパや北米の先行研究では、通常、親がろう者である方が、聴者であるよりも、子どもの読み書きその他の学力がより優れているという結果が出ている（Israelite, Ewoldt, Hoffmeister et al. に詳しい）。一方、スウェーデンのアールグレン（Ahlgren, 1982）は、幼児が就学前に母語手話を覚えさえすれば、親がろう者であるかどうかということによるろう児の発達の差は見られなかったという。また、母語手話を使ったバイリンガル教育が政策として定着しているスウェーデンやデンマークでは、だいたいの場合、親がろう者でも聴者でも同等の学力を獲得することが可能だという（Ahlgren, 1982; Hausen, 1987）。マッセルマン、リンジー、ウィルソン（Musselman, Lindsay & Wilson, 1988）も、就学前の幼児に対して、親がほぼ完璧に近い同時的コミュニケーション法（英語対応手話と聴覚口話法の併用）を使った場合、ASL を使用する親たちに近いレベルの成果をあげていると報告している。いずれにしてもここで重要な点は、言語の発達と認知面の発達に刺激を与えるに足るだけの質量ともに豊かで十分な親子のコミュニケーションが必要だということである。ただ、親が同時的コミュニケーション法を使用すると、とかく発話に伴うサインの部分が不完全になりがちである。例えば、スウィッシャー（Swisher, 1984）によると、少なくとも２年以上同時的コミュニケーション法を使ってきた母親は、発話に必要なサインを平均40.5％も省略するそうである。

教室内で使われる同時的コミュニケーション法も同じような批判を受けている。発話に伴うサインの多くが省略され、サインを伴う口話が教師にとっても子どもにとってもまぎらわしいものになる（Israelite, Ewoldt, Hoffmeister et al., 1988 を参照）。また、英語対応手話に頼るトータル・コミュニケーションは、完全に聴覚口話法だけに頼るよりはずっと成功率が高いが（Rudser, 1988）、ろう児の教育上の困難を取り除くまでにはいたらない。レイン（1988）は、英語対応手話について、そのルーツが人種偏見に基づく家父長主義に根ざすとして次のように酷評している。

「英語対応手話」は、手話に対する人種的、言語的偏見に基づいた誤解から、教師たちが子どもの「恣意的なジェスチャー」を、英語に近づけようと「捏造」したものである。聴者が、英語の機能語や接尾辞を表すために、ASLにはまったく存在しない新しいサインを考案したり、英語の語順に合わせるためにサインの文法的順序を規定したりしている。しかし、それは視覚言語である手話によるコミュニケーションの原則に反するものであるため、ろう児は誰一人として「英語対応手話」を自然に習得したことはなく、また成人ろう者も誰もそんなコミュニケーションの方法を使っていないのである。にもかかわらず、ろう児の英語習得を助けるという主張のもとに、「英語対応手話」が教室で広く使用されている。しかし、おしなべてろう児が英語習得に成功していないのを見ると、それが英語対応手話を押しつけている本当の理由ではなく、むしろ家父長主義に根ざした優越感がその原因だといった方がよさそうである。(1988, p.10)

要するに、ASL をろう児の授業言語として使うべきではないという教育上の理由は一つも見つからない。しかし、ASL を一日も早く使うべきだという理由は研究上でも理論的にも広く支持されている。北米では ASL を授業言語の一部として取り入れはじめた学校もある。例えば、アルバータ州立ろう学校である Alberta School for the Deaf では、コミュニケーションを助けるために必要時に ASL を使うこと、また美術、音楽、演劇、詩、その他の文化的表現の解釈・鑑賞時に使用するという方針を立てているそうである(ジョー・マックラーリンとの私信による)。インディアナポリス、バーモント、カリフォルニア州フレモントなどのろう学校でも、ASL を授業言語に使用する方向に向かっているという[(5)](Valli, Thuman-Prezioso, Lucas, Liddell & Johnson, 1989)。

### ◉コミュニティの参加

上記の教育的介入の枠組みは、「ろう」コミュニティが学校との関係でより強い力を持つようになれば、それだけ学校のなかで、少数派の子どもがエンパワーされるということを示している。教育者の方がマイノリティの親を子どもの教育上のパートナーとして位置づければ、親は自らの有用性を意識するようになり、それが子どもに伝わって学習面でもよい結果を招くはずである。

複雑なのは、ろう児の親の多くが、自分自身「ろう」コミュニティの一員ではないし、ASLも使わないということである。「ろう」コミュニティに子どもを「失う（取られてしまう）」ことを恐れて、教室でASLを使うことに抵抗する親も多い。親の望みは、ろう児がなるべく「普通」の子どもとして成長し、音声英語の表現力や理解力をできるだけ身につけることである。そのためにもっとも合理的な方法は、学校にいる間だけでも集中的に英語に接触させることであり、教室でASLを使用すると英語との接触量を減らすことになるため非生産的だと考えるのである。このような見方は、ASLを流暢に使えない聴者の教師によってもさらに増長されている。

前述のように、このような考え方は、実証的データによって支持されているわけではない。子どもの認知力、学力を伸ばしたいと願う親は、大切な幼児期の発達を助けるために、何らかの形の手話を習うように努力すべきである。さらにはっきり言えばASLと英語対応手話、あるいはASLか英語対応手話を習得したいという聴者の親たちのために、行政機関が資金を提供して、ASLやサインの学習機会を与えるべきである。そのようなプログラムの一例としては、バンクーバーろう児協会（Deaf Children's Society of Vancouver）があり、親子のコミュニケーション、ろう児の社会性の発達、そして母親のストレス解消に非常に役立っているという（Greenberg & Calderon, 1984）。

ろう教育をさらに複雑にしているのは、北米の主要都市において家庭で英語以外のことばを話す親の割合が増えていることである(*4)。例えばアメリカでは、聴覚障害児のための学寮校に在籍するスペイン系の児童・生徒の数が1973/74年度から1981/82年度にかけて6.8％から9.5％に急増、つまり40％も増えたそうである（Delgado, 1984）。このような子どもは英語系の児童・生徒よりも学習上でより多くの困難を経験しているという。例えばデルガド（1984）は、非英語系の児童・生徒が不利な状況に陥る確率は、英語系よりずっと高いと報告しており、ニューヨーク市の調査でも、ラーマン（Lerman, 1976）は、学業不振、学習困難に陥るスペイン系のろうの児童・生徒の比率が異常に高いことがわかったという。このような調査結果から、マイノリティグループに属する聴覚障害児は、二重の不利な条件を背負っていることがわかる。

英語対応手話や英語聴覚口話法に基づく教授法は、両親が家庭で使う言語が異なっているため、ろう児が混乱する可能性がある。家で使われるスペイン語やその他の言語に、ろう児は英語の口話ストラテジーをあてはめようとするだろう。アメリカでは、地域社会の言語の多様性に応えてASLの他に英語以外の言語も同時に取り入れるバイリンガル・バイカルチュラルアプローチをとっているところもある（例えば、ペンシルバニアろう学校）。

要するに、就学前の幼児期における人との交流は、子どもの知的発達、人間形成の要となるものなので、親が何らかの形の手話言語、できればASLの熟達度を高めるように奨励するべきであり、またそのための支援が必要であろう。効果的な親子のコミュニケーションを可能にするためには、明らかに「ろう」コミュニティのメンバーの介入が不可欠であり、かつそれが重要な役割を担っている。ろう教育にたずさわる行政機関や教育専門家は、「ろう」コミュニティと親との連携作りを推進すべきである。言い換えれば、ろう児の親と「ろう」コミュニティ両方がろう児教育に参加できるような体制作りが必要である。その際もっとも重要なのは、ろう児教

[訳注]

（＊4）日本でも公立教育機関で受け入れる外国籍の子どもの数が増えるにつれ、同じ問題を抱えることになる。文部省（現文部科学省）が1999年に実施した「日本語教育が必要な外国人児童・生徒の受け入れ状態に関する調査」によると、盲・ろう・養護学校計１万8585人のうち51人が外国籍の子どもだという。

育にかかわる重要な役職（教師、学校管理職、政策立案者など）に、もっと多くのろう者を採用することである。そして、ASLを学びたいと思う親や、子どもにASLを習わせたいと思う親のために、「ろう」コミュニティの社会的地位をこれまでの従属的な立場から引きあげることである。親であれ教育者であれ、ろう者が多数派社会のメンバーから「欠陥」人間と見なされているかぎり、教育者、親、「ろう」コミュニティ、三者間の意味のある連携は不可能なのである。

### ◉教授法

元来、カリキュラムや教授法に対する考え方は、教師が知識や技能を子どもに一方的に教え、教えられる子どもの方が、自分にとってどのような意味があるかというような疑問はまったく抱かずにただ受け入れるというものであった。最近、カナダの学校教育では、カリキュラムや教授法が「ホールランゲージ（whole language）」や「交流型・実体験型（interactional, experiential）」に大きく変わってきたが、実際には、依然として「知識授与型（transmissional）」方式にとどまっているところが多い。これは、大学の教育学部の教員養成講座などで、「知識授与型」がいまだに主流をなしていることを考えれば、決して不思議なことではない。

従属的立場にあるマイノリティ生徒たちへの知識授与型の教育の問題点は、カリキュラムの構築にあたって優先されるのが多数派グループのニーズであり、その価値観がそのまま反映されるため、マイノリティの子どもたちが、書きことばや話しことばを駆使して自らのユニークな経験を表現する機会が与えられないことである。そのためマイノリティの子ども自身の言語、文化、経験は、教室のなかで価値あるものとして認められないのである。

ろう教育の現場では、これまで音声英語と書記英語を覚えさせることに努力を集中するあまり、ことばを子どものコミュニケーションの手段として、また批判的思考力や知的探究心を高めるための道具として伸ばすという教育の目的が忘れられてきたようである。アダ（Ada, 1988）やジロー（Giroux, 1988）や他の批判的教育学の研究者たちは、「子どもは自分自身の現実について授業のなかで積極的に発言するように励まされて初めて学習意欲が出てくる。つまり、ことばを人との交流のために使うこと、体験を互いに話しあうこと、問題について批判的に考えること、そして自分が置かれている現実に積極的に働きかけ、創造的に行動することである」と述べている。ろう児は、この自分の"声"を通してのみ、自分が必要とされていると感じ、学習に対する自信を持つことができるのである。

## ◉評価

第2章で述べたように、マイノリティの子どもの教育では、文化的偏見のある能力試験やアチーブメント・テストを無差別に実施することで、低学力の問題の責任を犠牲者である子ども自身になすりつけてきた（Ryan, 1976）。マイノリティの子どもの学習困難は、ろう児自身、また「ろう」コミュニティ自体が生来持っている特質、例えば「二言語併用」、「剥奪された自文化」、「言語的欠陥」、「生まれつきの劣性」などに起因すると見なされてきた。こういったことによって、実は学習困難の原因が学校教育における教育者とマイノリティの児童生徒との関係自体にある、という厳しい批判の目を持つことが妨げられてきたのである。

レイン（1988）は、いろいろな認知テストや性格テストで、ろう者が劣るということを示唆する研究には、どれも重大な欠陥があるという。

> 「ろう者の心理」に関するこれまでの研究には、テストの実施方法、使用言語、採点、内容、標準化、被験者グループの選択などに重大な欠陥がある。ろう関係の専門家の多くは、この分野で科学が大衆をステレオタイプ化するのに不当に利用されたとして警鐘を鳴らしている。（1988, p.16）

同じように、アチーブメント・テストをろう児に実施すること自体を問題視する研究者もいる（例えばEwoldt, 1987）。ろう児および他のマイノリティの子どもの正当な学力評価は、子ども自身のなかに「問題」を見つけて、現状を肯定し正当化することではない。そのような問題を生んだ社会や教育のシステムを厳しく批判する「体制批判的」な見方に移行すべきである。つまり、評価の過程で何よりも焦点をあてるべきことは、マイノリティの子どもが経験する教育的交流の質の改善なのである。

## 結 論

ASLが他のどの言語にも匹敵する正当な言語であること、そしてろう児の第一言語の認知面の発達が、第二言語の発達の土台になるという実証的研究によって授業言語としてASLを使用することは強く支持されている。それは、他のマイノリティグループと同じである。しかしながら、ASLを第一言語とするバイリンガル教育を提唱する根拠は、学力面もさることながら、実はろう児の文化的アイデンティティのためである。ろう児からASLの保持・習得の機会を阻もうとする教育者は、基本的にはろう児に集団自殺を強いるのと同じである。なぜなら、ろう児にとって唯一残された道は、レッテルをはられた多数派社会の一員になることしかないからである。遺憾に堪えないことは、今日でさえ多くのろう学校が、ろう児が「ろう」コミュニティ、また聴者コミュニティのどちらにも対等の立場で参加しその成員になることができるように、ASLを啓蒙してろう文化の継承を強めようとはしていないことである。ろう者にとっても、他のマイノリティグループにとっても、自文化の正統性とその強さに対する確信を持つことが、多数派社会に参加し、長い間支配者グループによって否定されてきた教育参加や教育の均等に対する権利を要求していくための必要条件となるのである（6）。

## ◆原注

(1) 本章は、ハートレー・ブレスラー、キャロライン・エヴォルト、ネイタ・イズラリーテ、ゲーリー・マルコウスキー、コニー・メイヤー、パトリシア・ショアズ゠ハーマン、ノーマ・ジーン・テイラーの諸氏との議論に負うところが多大である。また、J・ボッシイズ、デーブ・メイソン、ジョー・マックラーリンには、草案の初期段階でコメントを寄せていただいた。ここに彼らの助言や批判に対して深い謝意を表したい。なお、本章における誤解や不備はすべてわれわれ著者の責任である。本章を継承語の本に加えたのは、1989年のオンタリオ州で起きた論争（ASL を課外の継承語として教えるか、それとも正課の教科学習の授業言語として用いるべきか）に端を発している。マイノリティの子どもの教育に関する社会的、心理的問題の多くが、ろう教育の歴史と現在の論争にくっきりと浮き彫りにされている。もちろん、われわれは ASL やろう教育の「専門家」ではない。現存する諸研究、特にイズラリーテ、エヴォルト、ホフマイスターら（1989）の優れた研究をもとに、多数派社会の政策立案者たちが実証的研究成果とはまったく関係なく、「マイノリティグループ（この場合はろう者たち）が必要なことは自分たちが一番よく知っている」という家父長的なあり方を浮き彫りにしたいと思ったのである。

(2) 本章では、「ろう」（かぎかっこつき）は「ろうコミュニティ」を指し、ろう（かぎかっこなし）は聴覚障害のあるろう者を指す。

(3) カナダでは、ろう者である教師はわずか6.4％にすぎない（Israelite, Ewoldt, Hoffmeister et al., 1989）。

(4) 明らかに、一つのグループ（聴者マイノリティ）のデータに基づいて考案された枠組みを、別のグループ（ろう者マイノリティ）に適応することには注意を要する。ここでわれわれが提案しているのは、ろう教育は聴者のマイノリティとは明らかに異なっているが、言語の抑圧と子どもの学業不振の理由づけに関しては、驚くほど共通点があり、それを追究する価値がある。この教育的枠組みの図は、教育介入についての具体案であり、詳細は欠くが、ろう児にもまた聴児にもあてはまる教育介入の一般原則について明らかにしたものである。

(5) ろうコミュニティ内で、ASL にスイッチしようという政治的圧力が増しつつあることの一つの表れは、ヴァリら（Valli et al., 1989）がギャローデット大学の学生、教職員に宛てて書いた公開文書である。その内容は、ギャローデット大学で授業に使用される教授媒体として、口頭言語の補助を伴う手話（同時的コミュニケーション法）ではなく、全面的に ASL を採用することを要求したものである。ヴァリらは、トータル・コミュニケーションが口頭言語主義（聴覚口話法）に完勝したものの、ろうの学生がそれによって大きく学力を伸ばしてはいないこと、そして、その理由はトータル・コミュニケーションがろう者にとってきわめて煩雑なコミュニケーション手段であり、しばしば大量の情報が失われてしまうためだと主張している（公開文書を見せてくれたハートリー・ブレスラーにここで感謝の意を表したい）。

(6) 1989年12月末、オンタリオ州教育省のショーン・コンウェイは、「聴覚障害を持つ生徒のためのオンタリオ州教育プログラムの評価」(Review of Ontario Education Programs for Deaf and Hard-of-Hearing Students) という研究結果を公表した。この報告書はASLを含むバイリンガルプログラムの実施を支持し、オンタリオ州で聴覚障害を持つ教師を増やすために積極的差別是正措置も推奨している。しかし、オンタリオ州のろうコミュニティは、その報告書が勧める措置の実施を州政府の側がわざと遅らせていると感じ、不満を持っていた。フレンチ (French, 1989) はグローブ・アンド・メール紙で次のように述べている。

> ろうの活動家たちはその外部評価報告書に満足していた。なぜなら、それは昨年5月に彼らの諮問委員会が出した勧告の大部分を支持するものだったからである。だが、コンウェイが提示する実施日程には、さらなる調査が必要となるために実施が遅れることが示唆されており、その点で彼らは不満を募らせていた。(1989, A16)

オンタリオ州ろう協会の教育対策委員長であるゲーリー・マルコウスキーは、実施日程の遅れに対して、次のように不快感を表している。「彼（コンウェイ）はいったいこれ以上何を望んでいるのであろうか。たぶん、彼はろうの子どもたちが苦しみ続けるのを見ていたいだけなのだろう」(French, 1989 からの引用)。

# 第6章

# 21世紀の多文化主義と多言語主義

## 道を切り拓くか、遠くの星を眺めるだけか

地球規模で拡大する移民の波、国際貿易の急速な拡大、ハイテク通信技術のとどまることのない発展によって、遅かれ早かれ地球上の国のほとんどがどのように自国内の多様性を受容していくかを学ばなくてはならなくなるであろう。建国当初から多文化社会であったカナダは、21世紀に必須となるスキルである、文化的、民族的に多様なコミュニティと前向きの姿勢で共存していく方法を長い経験を通して知っている。実際、「多文化主義」ということばはカナダ人の創造である。カナダは世界の同胞や競争相手よりもずっと有利な立場で21世紀を迎えるのだ。以上が、カナダ多文化主義法を導入するにあたって連邦政府が述べた理由である。……次世紀そしてその後も、国内の社会的調和を保つために諸外国がカナダ型（多文化）政策をこぞって取り入れ、多文化主義がカナダの成功した輸出品の一つとなるとカナダ政府は信じている。（VOX, 1988 no. 1, p.20）

カナダの多文化主義に関するこのレトリックは、「カナダ——再び道を切り拓く？」（“Canada: Trail Blazing Again?”）という題名で、*VOX*の第1巻に発表されたものである。*VOX*はオーストラリア多言語多文化教育諮問委員会（Australian Advisory Council on Languages and Multicultural Education, AACLAME）の機関誌である。この短い記事は、原稿の段階では疑問符がついていなかったという。つまり、多文化主義におけるカナダの「道を切り拓く（先駆的）役割」は当然のものとして受け入れると考えられていたのである。しかしながら、印刷された記事には疑問符がついていた。少なく

ともこの主張には議論の余地があると編集者が思ったからであろう。

確かに、ことば上のレトリックに関するかぎり、カナダは多文化主義において最先端を行っていると主張することができる。しかし、これまで述べてきたように、現実は複雑である。連邦、州、地域レベルで意味のある取り組みが多々ある一方で、カナダの政策にはビジョンと想像力が欠けている。例えば、学業不振に陥る傾向があるマイノリティグループの子ども（例：先住民の子ども）の学力伸張のために、バイリンガル教育の取り組みはほとんどなされていない。この点アメリカやスウェーデンで（反対の声もあるが）広く実施されているプログラムとは対照的である。同様に、継承語を取り入れたバイリンガル強化プログラムやトライリンガルプログラムは一部の私立学校（例：ケベック州のヘブライ語学校、ギリシャ語学校、アルメニア語学校）、および平原三州の公立学校でしか行われてこなかった。しかし、ヨーロッパやその他の地域（126ページ以降参照）にはトライリンガル教育の多くの成功例があり、より豊かな言語学習体験を与えるオールタナティヴ・スクール（alternative school）が公立学校制度のなかで可能だということを示している。フレンチイマージョンの枠を超えたプログラムを創造したり、子どもの言語的レパートリーをさらに広げようとする意志はイギリス系カナダにはなかったのである。そして最後に指摘したいのは、カナダの政策立案者たちが人種差別となる知能テストをマイノリティグループの児童生徒に実施するという学校のなかの現実を見て見ぬふりをしてきたことである。この問題は過去20年以上、アメリカの訴訟や法案で取り上げられたにもかかわらず、カナダの教育政策はただ口先だけの賛意しか示さなかったのである。

こういう（またこれと関連した）問題が無視され続けた原因は、政治的圧力がほとんどなかったからである。一般的に言ってマイノリティグループは現状に満足しており、継承語を含むバイリンガル強化プログラムやトライリンガルプログラムを要求したり、差別的知能テストに関心を示したりしたのは、平原三州以外ではほんの少数のマイノリティグループにすぎなかった。政治家に政治の枠を超えて教育ビジョンを持つことを期待するのは期待しすぎであろうし、ましてやビジョンのある教育を実施する指導力を発揮することを期待するのはさらに無理であろう。しかし、このようなビジョンと指導力がないかぎり、政治的功利主義が教育プログラムを支配し、教師やコミュニティの多大な熱意と努力に見合うような教育的効果は望めない。

これらすべてにおいて、カナダが他の多くの諸外国と比べてより劣っているわけではない。事実、全体的に見て、文化・言語の多様性に関連したカナダの政策やプログラムは他のOECD諸国と比較して遜色はない。例えばイギリスなどでは、継承語教育に対する政府の支援が（理念的にも財政的にも）きわめて少なく、イギリスの教育者や少数グループはしばしばカナダの先進的政策に賞賛の目を向けるのである。

カナダの継承語教育（より広くとらえて多文化教育）に対するわれわれの主な批判は、(a)想像力豊かに、またより効果的に行うことがかなり容易に可能であったにもかかわらずそうしなかったこと、(b)多文化に関するすべてにおいてカナダ的な"啓蒙"（enlightenment）に自己満足しているため、代替案を探そうともしなかったし、また他国の経験から学ぼうともしなかったことである。

この独善性はカナダ社会の人種差別の歴史、また現存する制度的差別を否定する偽善的態度となって現れている。例えば冒頭の引用文にあったように、カナダは多文化主義に関するかぎり常に"道を切り拓く（先駆者）"であったという。しかし現実には多くの民族グループに対する抑圧の歴史があったし、また黒人や先住民への人種差別は今でも存在する。カナダは"昔から多文化社会"であって、"文化的、人種的に多様なコミュニティの建設的な共生に長い経験がある"という建前になっているので、このような不快な差別の事実は国の公式文書のレトリックにはめったに顔を出さないのである。

冒頭の引用文で触れている世界の急速な変化によって、多文化共生への対応が国家レベルでもまた国際的にもかなり緊急を要することは確かである。しかし、現時点までカナダの学校は、子どもたちの文化や言語を維持するよりも断念させる方にはるかに大きく貢献してきた。継承語教育を“通常の教育のなかで行う”（mainstreaming）ことに対する多くの教育者の根強い反対は、同化主義志向が依然としてカナダの学校で大勢を占めていることを示している。

次節では、まず急速に変わりつつある21世紀の教育環境について簡潔に述べ、次にカナダが単なるうわべだけの多文化主義やグローバル教育から抜け出したいと真剣に考えるのならば、そのために重要となる教育改革について検討する。共通の関心事や問題解決にあたって文化や言語を超えてどう協力するかを子どもたちが学ばなければ、21世紀の多面的挑戦に立ち向かうことはできない。国内的にも、国際的にも、多言語・多文化環境のなかで機能する人を育てること、つまりグローバル教育プログラムが必要なのである。このためには、すべての教育者たちが知恵をしぼって、文化に対する理解を深め、言語技能を伸ばす、新しい方法を模索する必要がある。言語と文化は“1日5時間の通常授業の枠外”に追いやられるべきものではなく、学校教育の中心に位置づけられるべきものである。21世紀の文化、経済、科学、環境の現実に対応する、単なるレトリックに終わらない教育プログラムがどうあるべきか、次に明らかにしてみたい。

## 急速に変化する教育環境

21世紀にカナダが直面する文化の問題は、人口減少を回避するために移民の数を大きく増やす必要があり、それによってこれまでとは比べものにならないほど、国内の異文化間の接触が増え、言語がいよいよ多様化することである。カナダ統計局（Statistics Canada）の推計によると、人口減少を防ぐためだけでも毎年25万人もの移民を増やさなくてはならないという。高齢化社会で望ましいとされる1％の人口増加を毎年確保するためには、毎年65万人移民を増やす必要がある。この数字は、現在の16万人のほぼ4倍にあたる。国内の文化、言語的多様化がこのように進むと、住民のニーズに応えるためにさまざまな社会的サービスにおいて、多言語能力がきわめて重要となる（例：病院）。国際的には、人々の移動が増し、経済的、政治的な相互依存がこれまで以上に高まるため、より効果的な異文化間協力や異文化理解の促進が必要となる。

このような状況のなかで、継承語教育を主流の学校教育と関係のないものと見なすことはできない。言語技能を身につけ、文化理解を深め、言語に対する認識を高めることは21世紀の教育の目標全体のなかで重要な位置を占める。

経済においては、現在進みつつある科学技術の革新によって職場の性格ががらりと変わってしまった。今世紀（20世紀）の従業員に求められるのは、70年代よりもより高度な読み書き能力と専門的技能である。“機能的読み書き能力の欠如”（functional illiteracy）――そのコストは年間100億ドルと見積もられている――は、読み書き能力の実質的な低下というよりは、経済や雇用状況の変化がもたらした結果と言える。ということは、もし学校が21世紀の経済下で活躍できる人材育成を目指すのならば、進化する科学技術環境のなかで役立つ読み書き能力育成プロジェクトなどに積極的に取り組むべきである。この意味で、マイノリティグループの子どもの第一言語の読み書き能力は学校言語の読み書き能力と関係があるという多くの研究（Cummins, 1984）は、効果的な継承語教育がマイノリティグループの子どもの知的発達や学力増進に貢献することを示唆している。

さらに、世界経済はますます（よくも悪くも）相互依存的になり、職場における異文化接触も増える。また実際ビジネスの経営や店頭でも、言語、文化、人種の境界を越えて人と協力する能力がより必要になっている。

科学においては、科学知識の爆発的な躍進が意味するものを、21世紀の学校教育は真剣に受けとめなくてはならない。例えば、パトリシア・クロス（*Phi Delta Kappan*, 1984, p.172）は次のような指摘をしている。

毎日6000から7000に及ぶ科学論文が書かれ、5年半ごとに情報は倍増する。平均的な医学部の学生が卒業するまでには、医学部で学んだ情報の半分は時代遅れとなってしまう。

この科学界の変化が意味することは、学校教育が社会的に中立的で、すぐにすたれる知識の吸収に焦点を置くべきではなく、むしろ特定のプロジェクトや活動を行うのに必要となる、情報にアクセスする力、批判的にものを見る力、創造的に情報を活用する力の養成を重視すべきであるということである。英語は現在、科学、技術の主要な国際語であるが、情報を入手したり、情報を用いて共同プロジェクトを行ううえで、英語以外の言語の知識も当然貴重な財産となる。

環境問題においては、世界のどこにいても新聞を読めば明らかなことは、われわれの世代が子どもの世代に残す環境汚染の度合いと地球規模の問題の深刻さである。しかし、北米の大半の学校のカリキュラムには、自分たちの形成する社会に直接影響を与える問題について子ども自身が批判的な文章を書いたり、討論したり、行動を起こしたりする機会が与えられていない。ましてや、これらの問題を解決するためにカナダの国内外の異なる文化や言語を持った子どもたちと協力し合う機会ももちろんない。

要するに、文化的、経済的、科学的、環境的にますます相互依存的傾向が強くなりつつある世界の実情に対応するには、異文化や異言語を持つ子どもたちと協力して問題解決ができるように、情報収集や批判的解釈の力の育成に学校教育は力を注ぐべきである。

これらの諸面をすべてカバーする重要な第一歩としてコンピュータ・ネットワーキングがある。通信機器を使って、世界各地の子どもたち（例えばトロントとアルゼンチンに住むスペイン語を話す子どもたち）が特定の現象（例えば世界各地のスペイン系コミュニティで用いられるスペイン語のことわざの比較研究、あるいは異なる地域の水質のリサーチ）について共同研究をすることができる（Cummins & Sayers, 1995 を参照）。現代の科学技術の進歩によって大きな可能性が開かれ、子どもたちが批判的思考、第二言語能力、異文化に対する認識を同時に高める国際共同プロジェクトが可能になったのである。そして、子どもにとっても教師にとっても、そのコミュニケーションが一つの言語に限られないときに、そのようなプロジェクトの実りはより大きくなるであろう。

## グローバル教育における継承語教育の役割

以下の節では、"多文化主義"のレトリックを超えるための改革の大筋を示して次世代の社会的、教育的状況の変化に応えたいと思う。まず三言語の能力、言語・文化の多様性に対する理解を目指した就学前教育、初等教育、中等教育の構造改革について述べる。次に、"通常"の教室や評価の過程における異文化間理解／反人種差別主義の心的態度の育成に必要な改革について述べる。

## トライリンガル育成の構造的改革

### ◉就学前の段階

もし、カナダの教育者、政策立案者、マイノリティコミュニティが継承語の促進に真剣であるならば、就学前の段階から教育を始めなければならない。学齢期の初期（幼稚園から小学校1年生）に第一言語が急激に失われることはトロント地域のポルトガル系児童の調査で実証されているし(Cummins, Ramos & Lopes, 1989)、多くの親や継承語教師も、経験を通して子どもの第一言語能力がいかにもろいものかよく知っている。大半のカナダ生まれの子どもたちや就学前にカナダに来た子どもたちは、労なく流暢に英語を話すことができるようになるが、第一言語の維持はきわめて困難である。全国的に広がっている保育プログラム（英語かフランス語で行われる）が、第一言語をつぶしてしまう原因の一つになりかねない。

カナダの幼児教育の教師やマイノリティコミュニティはヨーロッパやニュージーランドの就学前の継承語プログラム（ニュージーランドではコハンガ・レオあるいは“言語の巣”と呼ばれる、79ページ参照）から学ぶことが多い。これらのプログラムは継承語が家庭で話されていようといまいと、継承語能力を伸ばすのにきわめて有効であることが証明されている。(Arnberg, 1987; de Jong, 1986; Sarkar, 1988; Saunders, 1982 参照)。これまで見てきたように、カナダには就学前の継承語教育の実践や文献がわずかしかないし、マイノリティコミュニティもまた幼児教育専門家も、この種の教育を重要視していないようである。

こういう状況を変える第一のステップは、マイノリティコミュニティと継承語関係の団体が、ある特定地域で就学前プログラムの設立の可能性について検討し、そのうえで州政府や連邦政府の財政支援の可能性を探ることである。

### ◉小学校レベル

平原三州では、15年以上にわたってバイリンガル教育に成功しており、それが継承語の維持においても、また継承語の習得においても、教育的に可能であることを示している。同様に、ケベック州におけるヘブライ語、フランス語、英語のトライリンガルプログラムは三言語の能力を伸ばすのにきわめて有効であると評価されている（例：Genesee, Tucker & Lambert, 1978a, 1978b)。だが、他の地域、とりわけオンタリオ州においては、そのようなバイリンガルプログラムに対する抵抗がある。その理由は、マイノリティ言語の言語数が多い地域の場合は、バイリンガル、トライリンガルプログラムを実行するのは不可能だというのである（*Hansard*, June 6, 1989, p.975 を参照)。

この反対意見は、大部分のマイノリティコミュニティはバイリンガルプログラムを要求しておらず、たとえそのようなプログラムが存在しても、おそらく現実にはごく一部の住民しか参加しないであろうという実態を無視した意見である（Davis, 1987）。実際平原三州でも、存続可能なレベルに在籍数を保つのに四苦八苦しているバイリンガルプログラムもある。オンタリオ州では、このようなプログラムに対する要求が比較的少ないことが、トライリンガル教育を実施できるように法律を変更しようとしない理由として使われている。つまり、政策立案者は両方の理由を利用するのである。実際76言語ものバイリンガルプログラムを実施するのは負担が大きすぎるし、またそのようなプログラムに対する市民の要求は少なすぎるのだと。

現実は、継承語の読み書きと会話力を伸ばすことができる唯一の方法であることがすでに実証されているバイリンガルプログラムが否定されているのである。マイノリティの要望に応えて、また21世紀の社会的ニーズに応えて、代替案としてのバイリンガル教育やトライリンガル教育を教育委員会が実施することがどうして許可されないのか、その正当な教育的、あるいは政治的理由がわからない。われわれの予想では、トロントのような大都市では、そのような選択肢をとるマイノリティグループは比較的少数だろうと考える。代替案というのはそういうものだからである（例：フレンチイマージョン・プログラム）。そのようなプログラムを子どものために選ぶのは、おそらくウクライナ系、アルメニア系、ユダヤ系、ギリシャ系、中国系、そしてイタリア系くらいであろう。他のほとんどのマイノリティグループは、現在の継承語教育を妥当なものと評価している。

多言語教育の可能性を示す成功例として、ヨーロピアン・スクール（European Schools）のモデルがある（Baetens Beardsmore & Kohls, 1988; Baetens Beardsmore & Lebrun, 1991; Baetens Beardsmore & Swain, 1985）。ヨーロピアン・スクール制度は、子どもの母語を伸ばし、母語に加えて最大限三言語までサポートするようにできている。もともとは、母国以外で働くヨーロッパ経済共同体の職員のニーズに応えるために作られたものだが、公務員以外の子弟にも門戸が開かれており、かなりの人数の移民労働者の子どもが在籍する学校もある。各国政府の財政援助を受けており、1958年以来5ヶ国で、のべ1万2000人以上の児童生徒が教育を受けている。

ヨーロピアン・スクールは初等教育5年と中等教育7年からなり、全体が統合されたマルチレベル（熟達度別に分けない）の学校になっている。大きなところではEC加盟国の九つの公用語である九言語に対応している。授業のほとんどは、児童生徒の第一言語あるいは強い言語を使ってその言語が母語である教師が教える。プログラムの最初から、共通語である英語、フランス語、ドイツ語のいずれかで授業言語ではない言語の学習を始めなければならない。3年目以降になると、共通語の一つで行われるヨーロッパの時間（European Hours）が加わる。その共通語は児童生徒が選んだ第二言語（あるいは第二共通語）である場合もあるし、そうでない場合もある。この時間には、いろいろな言語グループの子どもたちをまとめて約20人の小グループに分け、そこで徐々にヨーロッパ人としての自覚やアイデンティティを高める教育をするのである。小学校の最後の3年間では、児童生徒の第一言語以外で教えられる授業時間が全体の約25％を占め、それが中等プログラムでは3年目までにおよそ50％になり、この段階にいたるまでには第三言語が必修となっている。

ヨーロピアン・スクールに似たモデルは、カナダでも提案されたことがある。例えば、1980年代のなかごろ、ノースヨーク教育委員会のゲートウェイ学校の校長（Gerry Brouwer）がトライリンガルプログラムを委員会に提案した。それは、ギリシャ語＝英語と広東語＝英語のバイリンガルコースと通常の英語プログラムの三本立てである。もしオンタリオ州の法律が、英語を習得しつつある間、教科授業についていくための支援という過渡的目的のために、英語、フランス語以外の言語の使用を許容していれば、その案は、たとえ提案趣旨が過渡的目的というよりむしろ二言語強化（enrichment）であっても、教育省は容認したであろう。しかし、その提案は地域のゲットー化につながると恐れた評議員たちによって突如却下されたのである。

ゲートウェイ学校の校長らは、ヨーロピアン・スクールの実践をもとに次のようなモデルを考えた（Gerry Brouwerとの個人的コミュニケーションによる）。隣接した通学地域のいくつかの学校を巻き込んで種々のバイリンガルプログラムを提供するのである。例えば、通常の英語による授業と第二言語としてのフランス語（core French、コア・フレンチ）の授業はどの学校でも行うが、ある学校はそれに加えて、フレンチイマージョンとバイリンガル継承語プログラム（例：ギリシャ語＝英語）を行う。他の学校は、地域の民族構成や住民の関心度を踏まえて、他の言語のバイリンガルプログラムを提供する。そして通学地域内に住む子どもたちは親の希望にそって四つの学校のなかからどれかを選択する。英語を母語とする子どもたちもバイリンガルプログラムに参加することが奨励されるというのである。

このようなモデルは、実証的研究によって支持され、行政的にも財政的にも実行可能であり、通常の公立学校制度のなかでは経験できない言語技能拡充の選択肢を子どもやコミュニティに与えるものである。財政的には、いろいろな言語の教材やカリキュラム開発のための資金が最初は必要であろう。だが、継承語に堪能で資格のある教員によって“通常”の（教科）授業が継承語で行われるのであるから（現在の継承語プログラムと同様に）、教師増員の費用はかからないはずである。

このような教育プログラムが教育省や教育委員会によって拒否されるということは、多文化主義に対する見方がいかに狭いか、また21世紀の国際社会におけるカナダの役割をいかに近視眼的にとらえているかを示すものである。

### ◉中等教育レベル

上のような代替案プログラムは中等教育でも同じように実行可能である。美術や科学技術を専門とする学校が存在するように、言語の拡充に力を入れる学校があってもよい。これらの学校では、英語かフランス語、そしていくつかの授業言語のなかから少なくとも一つを選んでその言語で授業を受けることになる。目標は、英語やフランス語以外の言語能力を伸ばすことだけでなく、言語そのものの機能を理解し、言語に対する愛着を育てることである。これらの学校は、グローバル教育を専門とする学校として認知され、生徒は世界中の生徒たちと遠隔通信を利用して共同プロジェクトに取り組み、その過程で外国語を使用しながら言語能力を伸長させるのである。また交換留学プログラムも組み込めるであろう。

このようなプログラムが実際にはカナダに存在しないという事実は、教育的ビジョンよりも政治的、行政的利便性が教育実践において優先されていることを示している。メアリー・アシュワース（Mary Ashworth, 1988）は次のように指摘している。

> バイリンガリズムのメリットは多い。今必要なのは、バイリンガル教育と継承語学習の効果的なプログラムを作り出す人の意志である。(p. 202)

## 反人種差別教育の一環としての継承語の促進

人種差別主義に対する教育改革の実施にあたって、担任教師や他の教員がどのように子どもやその地域社会とかかわるか、そのあり方を個々人が再認識する必要があるというのが第5章で示した“エンパワーメント”の枠組みにおける中心的な概念である。子どもの言語や文化に対する抑圧は、教育制度のなかに見られる制度的人種差別のもっとも中心的なものである。それゆえ、このパターンを覆すためには、子どもの母語を維持し、自らの文化的アイデンティティへの自信を強めるために新しい創造的な方法を教育者たちが模索しなければならない。

継承語教育が“通常”の教室活動からばっさり切り離されてしまうと、子どもたちの母語は自分たちの問題ではないと教師たちは感じるのである。このことは、子どもたちの母語が学校、また彼らの教育における役割がまったくないというメッセージを子どもたちに伝えてしまう可能性があるため極めて遺憾なことである。しかし、バイリンガル教育や継承語教育が不可能でも、子どもの母語の発達を促進するうえで、学校は重要な役割を担うことができる。ニュージーランドの教育者たちは、マイノリティグループの親を歓迎すると同時に、子どもがすでに持っている言語能力に対する誇りを育むために、学校が取り組むことのできる環境作りを次のように列挙している（New Zealand Department of Education, 1988）。

- ◆通学区域の文化グループに対する歓迎の意を込めて、地域住民の言語で書かれた標識や掲示を事務室や他の場所に掲げること。
- ◆学校の周辺で母語を用いることを奨励すること。
- ◆可能なかぎり、同じ言語グループの生徒同士が母語で話す機会を与えること（例：共同学習が行われている間など）。
- ◆母語で個人指導ができる人をリクルートすること。
- ◆教室の図書、また学校図書館にさまざまな言語で書かれた本を揃えること。
- ◆学校のニューズレターや学校通信などに、さまざまな言語によるあいさつや情報を取り入れること。
- ◆バイリンガルまたは多言語の標識を用いること。
- ◆児童生徒のさまざまな母文化を代表する絵や物を学校に展示すること。
- ◆学校言語以外の言語を用いる学習単元を作ること。
- ◆学校新聞や雑誌に母語で投稿するように励ますこと。
- ◆選択科目あるいは課外活動で、児童生徒が母語を学習する機会を与えること。
- ◆教室、図書館、運動場、クラブ活動の手助けをするように親を励ますこと。
- ◆学校集会、表彰、その他の公式行事で、母語を使うように継承語学習者に勧めること。
- ◆マイノリティグループのメンバーを経験者、有識者として招いて、公式、非公式の話し合いの場を作ること。

これらの方策は、カナダの学校ですでに行われているものもある。例えば、トロント教育委員会のロードダッファリン学校は、児童生徒の母語で書かれた本をたくさん集め、児童生徒がクラスで読んだり、家に持ち帰って親と一緒に読むことを奨励している。イーストヨーク教育委員会の学校でも同様なプログラムが行われている。

しかし、カナダの学校制度全体を見ると、マイノリティグループの子どもの母語の価値を認め、その発達を促す意図的な努力はほとんどなされていない。"多文化主義"は学校教育と関係があるが、継承語の伸長はコミュニティの問題であると見なされ、そのため、言語背景の多様性は教室で無視されるか、目立たない形で否定されるのである。これはいくつかのプロジェクトを通して通常の教室のなかで言語の多様性に対する認識を高め、理解を深めようとするイギリスのやり方とは対照的である（例：Raleigh, 1981)。カナダと違ってイギリスの多言語教室では、言語と教科学習とが効果的に統合されている（Fox et al., 1987)。

教室から子どもの母語を閉め出すことは、子どもの発達状況を測定する際にも不幸な結果をもたらす。第２章で述べたように、知能の測定が英語（ケベック州ではフランス語）のみで行われる場合、マイノリティグループの子どもの潜在的な学力の測定が問題であるし、教師も教室での子どもの学習の進捗状況に関して誤った判断をする可能性がある。このことは次のトロント市の中国語統合継承語プログラムのエピソードで明らかである。新来の中国系小学校１年生が算数のある概念が理解できずに困っていたという。そこで、担任教師がその日は継承語のクラスに行かずに算数の勉強をやるべきだと思った。ところがその児童はひどく動揺し、継承語の教師を介して継承語の授業にぜひ出たいと言ってきた。担任教師の同意を得た継承語教師は、継承語の授業のなかで時間を割いて算数の勉強を見てやることにし、中国語で算数の概念を説明したところ、その子が理解するのにほんの２、３分しかかからなかったという。問題は算数の概念がわからなかったのではなく、使用言語につまづいていただけだったのである(Dorothy Chin との私信による)。

この逸話は、授業の過程や評価において、担任教師と継承語教師との緊密な協力関係が望ましいということを示している。そして、より公的次元では、継承語教師が授業を通して、また子どもとの話し合いや親との面接を通して、子どもの学力や言語能力を観察することによって子どもの潜在的能力の測定に貢献できる可能性を示している。

一般的に、マイノリティ言語の母語話者は貴重な人材となりうる可能性を持ちながら、彼らの言語的、文化的な経験や洞察力が知能測定や教育測定の分野で有効に活用されていない。明らかに、児童生徒の評価を適正に行うためには、こういう人材を十分に訓練し育てていくことが必須条件であろう。カナダの学校制度のなかでほんの数ヶ所しか（例：ノースヨーク教育委員会、エドモントン公立学校、ヨーク地域カトリック学校）母語を使った評価方法を採用していないという事実は、いかに差別のない評価がカナダの政策立案者にとって優先順位が低いかということを物語っている。

## 結 論

科学技術と経済発展の結果、国際的な交流が増したことが、現代の世界の特徴である（例：電子メディア、移動の簡易化、労働者の移動)。ほとんどの西洋諸国では、国内的には、文化と言語の多様化が劇的に増加している。例えば、カナダでは、移民の大幅な増加がこの先20年見込まれており、それによって学校や社会はさらに多様化が進むであろう。したがって、問題は文化的、言語的多様化が望ましいかどうかではなく、それが不可避的な現実であるということである。

問題は、われわれのエネルギーを、多言語、多文化のアイデンティティの否定に使うのか、それとも、マイノリティ住民がカナダに持ち込む言語的財産を受け入れ、他の人材と同様に大切にしていくかということである。過去の歴史における人種差別や現在のカナダ社会にある不寛容や差別にもかかわらず、カナダのマイノリティグループに対する政策は、西洋諸国のなかでは進んでいる方である。だが、もし、われわれが狭い考えに陥らずに想像力を少しでもたくましくして、すべてのカナダ人生徒が少なくとも三言語の能力を伸ばすことができるオールタナティヴ・スクールやプログラムを作ったら、はるかに多くのことができるであろう。豊富な研究結果をもとにそのような学校を現時点で持つことは可能である。われわれは単に子どもを豊かにしないことを選択しているだけである。

このような馬鹿げた選択を行う主な理由は、三言語の学校を作ることが、多文化主義を明らかに容認することになると同時に、彼らの言語を主流の教育制度のなかに位置づけることによって、マイノリティグループの地位向上につながることである。言い換えると、このような政策は、カナダ社会における支配層と被支配層との力関係を変えることになる。言語面で力のある社会の構築を拒否することは、財政、行政、教育面で正当化はされているが、実際は、カナダ社会の支配層が、たとえそれが長期的にカナダをより言語的に豊かな国にするとしても、“他民族の言語”を学校のなかに位置づけることに興味・関心がないのである。刻々と変化する国際情勢が今後このようなカナダの考え方にどのような影響を与えるか、その変化が待たれるところである。

付録資料

# 継承語プログラムの教育的効果[1]

## A バイリンガリズムを促進するバイリンガル強化プログラム

### 1 英語＝ウクライナ語（Edmonton Public School Board, EPSB）

EPSB（エドモントン公立学校教育委員会）が幼稚園レベルに英語＝ウクライナ語バイリンガルプログラムを導入したのは1973年9月である。幼稚園では授業の100％をウクライナ語で行い、小学校では英語とウクライナ語とを50％ずつ使用している。英語の授業は算数、英語、理科で、ウクライナ語の授業は社会、体育、ウクライナ語、美術、音楽である。

両親の背景であるが、4分の3以上の児童が家庭で両親あるいはどちらかの親がウクライナ語を話しており、非ウクライナ系の生徒は全体の約10％にすぎなかった。しかし、入学時にウクライナ語を流暢に話すことができた児童はたった15％だったという。このウクライナ系バイリンガルの児童は、フレンチイマージョンの典型的な児童と異なり、学力レベルでもまた親の社会経済的地位においても、EPSBのごく普通の児童である。例えば、メトロポリタン・レディネス・テスト（Metropolitan Readiness Test）の1年生の平均点（1974年から1978年の5年間の平均）は、EPSBの平均と比べて1点高かっただけであった。また両親の学歴についても、高等教育を受けている両親は半分もいなかったという（Edmonton Public Schools, 1980）。

一年目の評価では、EPSB管轄下の通常の英語プログラムから両親の社会経済的地位とウクライナ語の知識が同レベルの統制群を選び、翌年以降は同じ学校のバイリンガルプログラムの児童を無作為に選んで、性別、学校、能力に応じて階層化した。

その結果、低学年では、英語と算数の学力に関してバイリンガルプログラムの児童と統制群の間に一貫した差は認められなかったが、5年生（評価の最終学年）になると、算数および標準読解テストの読みと文章理解で、バイリンガルプログラムの児童の方が統制群よりもはるかに優れていることがわかった。

EPSBのプログラム評価では、バイリンガルプログラムが能力の異なる児童にも等しく適切であるかどうかについても調べている。児童の能力を上位、中位、下位と三つのレベルに分け、分散分析の二元配置法でプログラムと児童の能力との交互作用を調べたものである。その結果、交互作用は見られず、能力が低い児童がバイリンガルプログラムにいるからといって普通のプログラムにいるより問題が多いということはないことがわかった。

バイリンガル児のメタ言語能力の発達に関する調査も1年生と3年生の児童を対象に行った。その研究によると（Cummins & Mulcahy, 1978）、親が家で常にウクライナ語を使うためウクライナ語が比較的流暢に話せる児童は、バイリンガルプログラムに入っていないモノリンガル児や、バイリンガルプログラムに入ってはいるが、家では主に英語を使っている児童よりも、英語の文構造のあいまいさを検知する力においてより優れているという結果が出ている。

さらに、EPSBの報告では、ウクライナ語の力はプログラムの目標通りの伸びを示すと同時に、ウクライナ文化に対する前向きの姿勢も育ち、ウクライナ文化に関する知識も深まったという。加えて、大多数の親、教職員もプログラムに満足しており、彼らは子どもも喜んで学習していると感じ、そのプログラムが高学年まで継続されることを望んでいたという。

### ②　英語＝ウクライナ語（Edmonton Catholic School Board, ECSB）

ECSB（エドモントン・カトリック学校教育委員会）のバイリンガルプログラムは、上記のEPSBプログラムと同時期に始まったものである。違う点はECSBにはウクライナのカトリック教義を教える宗教の授業があることで、それ以外の点では両者は同じと言える。

学年ごとに、基本的知能テスト（Primary Mental Ability）およびその他いろいろな到達度テストを行い、その得点を、学年、社会経済的地位、性別、年齢によって同じ学校から選んだ統制群と比較した。ここでは、1977/78年と1978/79年の評価（Ewanyshyn, 1979, 1980）を取り上げる。１学年から５学年の児童、全体で約380人がそれぞれの年度に評価の対象となっている。

これら二つのグループの比較の結果、バイリンガルプログラムの児童が通常の英語のみのプログラムの児童と比べて少なくとも学力面で遜色はなく、同等の伸びを示していることがわかった。1977/78年の評価報告によると、達成度（英語）において、グループ間に七つの統計的有意差が現れ、そのうち六つまでがバイリンガルプログラムの児童の方が有利という結果が出ている。また達成度においてもっとも顕著なグループ間の違いは、読解力とスペリングであった。さらに、親、教師、校長など関係者すべてが、バイリンガルプログラムに対して高い満足度を示していたという。

### ③　英語＝ウクライナ語（マニトバ州）

1979年９月、英語＝ウクライナ語のバイリンガルプログラムが始まった。それは、マニトバ州三つの学区域それぞれには１年生の一つのクラスを対象に実施されたものである。その後他の学校にも広がり、幼稚園から始めるようになった。エドモントンのバイリンガルプログラムをモデルとしており、評価はマニトバ州教育省が行っている（Chapman, 1981）。

最初の２年間の評価対象になったのは、262人の幼稚園、小学校１年、２年の児童である。これらの児童の得点を同じ学校の通常プログラムの児童の得点と比較している。メトロポリタン・レディネス・テストの得点においては、幼稚園の後バイリンガルプログラムに進んだ児童と通常プログラムに進んだ児童との間で有意差は見られなかった。ということは、バイリンガルプログラムの児童が一般の児童と変わらないということを意味する。

親の回答（被験者数203人）によると、88％がウクライナ系である。家でウクライナ語を少なくとも一日の半分は使っていると答えたのが23％で、ウクライナ語話者と定期的な交流があると答えたのが76％である。したがって、マニトバ州のプログラムの児童はエドモントンのプログラムの児童と同じような背景を持っていることがわかる。

通常の幼稚園とウクライナ語の幼稚園に通った児童との比較では、ウクライナ語の幼稚園で授業の70％はウクライナ語で行っていたにもかかわらず、英語の“レディネス”能力において差は出なかった。1年生、2年生に関しても、通常プログラムの児童が2倍以上の時間をかけて英語で学習しているにもかかわらず、英語や他の科目の到達度テストにおいて二つのプログラムの間には差が見られなかった。教師、校長、保護者もみなウクライナ語プログラムにかなり高い満足度を示していたという。

## B　トライリンガル育成のバイリンガル強化プログラム

### 1　モントリオールのヘブライ語＝英語プログラム

ヘブライ語を含めたトライリンガル、あるいはバイリンガルプログラムは、カナダのほとんどの主要都市に存在し、通常公立学校制度の枠外で行われるものであるが、これとはまったく別のトライリンガル教育の例もある。例えば、トロント市のフランス系教育委員会（St. Gaspar）の管轄下にあるイタリア系児童生徒が大多数を占める学校において、5学年から8学年までが教育委員会のフランス語＝英語バイリンガルプログラム（5学年から始まる）を行い、それに加えて、通常の授業時間内に毎日30分イタリア語の学習もするというものである（Feuerverger, 1982）。しかし、組織的に評価を行ったのは、モントリオールのトライリンガルプログラムだけである。

これらモントリオールのプログラムの諸種についてジェネシ、タッカー、ランバート（Genesee, Tucker & Lambert, 1978a, 1978b）が比較研究をしているが、やや複雑なので、ここでは調査結果の概要のみにとどめる。基本的には、二つの若干異なる早期ダブルイマージョンプログラム（Early Double Immersion, EDI, ヘブライ語＝フランス語＝英語のトライリンガルプログラム）に在籍する児童生徒と伝統的なヘブライ語学校（Hebrew day school）に通う児童生徒とを比較したものである。EDI では、小学校低学年は英語とヘブライ語が授業言語だが、中学年から徐々にフランス語使用による授業が増える。ヘブライ語の時間配分とカリキュラムは3校ともほぼ同じであったという。EDI の学校の一つでは、教科としての英語（English language arts）が第3学年に始まり、他の学校では第4学年で始まる。学力については、通常のフレンチイマージョンの児童生徒と、第二言語としてフランス語を学ぶコア・フレンチプログラムの児童生徒とを比較している。

調査の結果、EDI の4年生と5年生は、英語を用いた授業が格段に少なかったにもかかわらず、ヘブライ語学校やコア・フレンチプログラムの小学生とほぼ同じ英語能力を持っていることがわかった。また算数においても、EDI の児童生徒は算数の初歩をフランス語で学習し、ヘブライ語学校ではすべて英語で学習していたにもかかわらず、プログラム間の差は見られなかった。フランス語能力に関しては、EDI の児童生徒は通常のフレンチイマージョンの児童生徒とほぼ同じであった。ヘブライ語能力においては、プログラムの内容も時間配分も同じようなものであったにもかかわらず、EDI の児童生徒の方が普通のヘブライ語学校の児童生徒よりも得点が高くなる傾向が見られたという。

ジェネシとランバート（Genesee & Lambert, 1980）は結論として、バイリンガルプログラムやトライリンガルプログラムは、次の点で小学校教育をより豊かにする効果的、かつ実施可能な方法であると言っている。

ヘブライ語学校は、(1)母語の発達と学業成績に関して通常の学校の目標を達成することができ、(2)宗教、文化、言語の伝統を維持すると同時に、(3)その地域にとって重要な公用語の能力も伸ばすことができた。(p.25)

ただ、ジェネシとランバートは、上記トライリンガルプログラムの小学生が能力的にも、また意欲の面でも上位にある子どもたちであったことは認めている。しかし、経済的にも能力的にも恵まれない子どもたちでも、フレンチイマージョンプログラムで成果をあげているという調査結果(例：Cziko, 1975)を見ると、このようなダブルイマージョンプログラムでも、言語と学力の両面で恩恵を受ける可能性を示唆している。

## C 移行バイリンガルプログラム

### 1 トロントにおけるイタリア語移行幼稚園プログラム(Shapson & Purbhoo, 1977)

1970年代初頭、トロント教育委員会は試験的に移行プログラムを導入した。幼稚園の最初の2年間(4－5歳、5－6歳)、園児の母語(イタリア語)で授業を行ったものである。原案(Grande, 1975)では、母語で読み書きも導入する方針であったが、オンタリオ教育法が一時的措置を除いて、英語とフランス語以外の言語で授業を行うことを禁じているため教育委員会から許可がおりなかった。この法的規制によって、イタリア語の読み書き能力の向上はプログラムの目的とはならなかったのである。

このプログラムの園児はほとんど全員がカナダ生まれで、イタリア語(あるいはイタリア語の方言)を母語としている。家庭で子どもとイタリア語だけで会話をするという親は全体の79%であったが、子どもが家で主にイタリア語を使うというのは53%にすぎなかった。年上の兄や姉からイタリア語で話しかけられる子どもはたった7%である。それゆえ、プログラムが始まった時点で、イタリア語より英語の方をよく使う子どももいれば、英語をまったく話さない子どももいたのである。

教室では、標準イタリア語、イタリア語方言、そして英語が自由自在に用いられ、園児や教師によって言語間のスイッチが頻繁に行われた。だが、英語を使う比率は幼稚園の１年目からだんだん増えていき、２年目までには、「イタリア語を使うことは、母語がまだ話せる数名の園児ではあったが、教室全体の活動ではほとんどなかった」（Shampson & Purbhoo, 1977, p. 489）という。

移行プログラムの評価は、授業中の園児の発話の観察、言語理解テスト、園児の学習進捗状況に関する教師の評価、親へのアンケートなどである。また、比較のために、他の二校の通常の幼稚園に通うイタリア系児童にも同じ調査が行われた。移行グループと比較グループの調査前の状況はほとんど差がなかったように思われる。なぜなら、希望した親は全員移行プログラムに受け入れられ、そのために学級を二つ設けることになったからである。

授業観察では、移行プログラムの園児の方が普通の園児よりも、クラスの話し合いに参加する率が高く（59％対43％）、自発的に発言し（45％対28％）、そして質問によく答えた（41％対28％）という。シャプソンとパーブフーは次のような指摘をしている。

> クラスの話し合いへの参加が増えたということは、園児にとって幼稚園が居心地のよいところであり、幼稚園にとって自分は大事な存在だと感じていることの表れと考えられる。それは、自己に対するイメージの指標と見ることができよう。（Shapson & Purbhoo, 1977, p.490）

絵刺激によるピーボディ語彙テスト（Peabody Picture Vocabulary Test）によって、英語（あるいはイタリア語）の語彙理解力を測定した結果、幼稚園１年目、２年目とも二つのグループには差が認められなかった。学習能力全般に関する教師の評価コメントによると、幼稚園２年目には、移行プログラムの園児の方が高い評価を得ている。しかし、この結果は教師の見方やコメントの仕方の違いによる可能性があるとシャプソンとパーブフーは注意を喚起している。

さらに、「比較グループの親は、移行プログラムの親と同じくらいわが子の教育に強い関心を持っているが、移行プログラムの方が、学校行事や教室の催しに参加し、教師と定期的に会話をする親が多かった」と報告されている（1977, p.493）。シャプソンとパーブフーは、このような親の積極的な学校参加は、共通の言語があるのでコミュニケーションが取りやすいというごく当然な事実によるものと考えている。

このように、イタリア語を授業の媒介語として使用することによって、園児と親の学校参加が活発になったという点で、プログラムの目的は明らかに達成されたと言えよう。

### 2 オタワの英語＝イタリア語幼稚園プログラム（Egyed, 1973）

エジャイド（Egyed, 1973）は幼稚園２年目のイタリア系園児の学習状況を比較するために、無作為に、⑴一日英語使用の幼稚園、⑵半日英語使用、半日イタリア語使用の幼稚園、⑶半日英語使用、半日フランス語使用の幼稚園、の三つのグループに分けて調査した。事前テストと事後テストの結果、英語の学力において、⑵のイタリア語＝英語バイリンガルプログラムの園児と⑴の一日英語プログラムの園児の間には統計的有意差がないことがわかった。したがって、半日幼稚園でイタリア語を教授言語として用いても、英語の習得には影響がないということである。

しかし、⑶のフランス語＝英語バイリンガルプログラムに在籍するイタリア系園児は、他の二つのグループよりも英語能力において統計的に劣っていた。⑶の園児たちは、「聴覚面における心理言語面（psycho-linguistic）の発達が比較的遅かった」と報告されている（Edwards & Casserly, 1973, p.248）。

要するに、授業言語として子どもの母語を使用しても英語の習得に支障はないという点で、これまでの先行研究の調査結果と一致するものである。

### 3　バンクーバーのパンジャブ語＝英語移行プログラム（Moody, 1974）

このプログラムは、パンジャブ地方から移民してきたばかりの５歳から８歳の児童を対象に英語を学ばせ、通常のカナダの学校への移行をスムーズにすることを目的としたものである。教師はパンジャブ語と英語で授業を行った。全般的に言って、このプログラムは、両言語を伸ばし自己イメージを高めるという目的を完全に達成している。というのは、このプログラムの児童たちは、他の東インド出身の児童と比較した場合、少なくとも同じくらいの速さで、英語の進歩を示したからである。プログラム１年目の終わりまでには、半分以上の児童が、通常の英語プログラムに配置してもよいくらいの英語力を身につけていたという。

### 4　トロントのイタリア語とポルトガル語移行プログラム（Henderson, 1977）

このプログラムは、イタリア語やポルトガル語を使う国々から直接カナダに来た４、５、６学年の児童のために、フランス系教育委員会（MSSB）が実験的に始めたものである。児童たちが英語を習得しつつあるなか、バイリンガルの教師が一年間母語を使って授業を行った。イタリア語プログラムとポルトガル語プログラムは多少評価方法が異なるため、別個に扱う。

〈イタリア語プログラムの結果〉

イタリア語のクラスは、1973年９月に始まった。児童はカナダに来たばかりの15人で、イタリア語の読み書きができた。統制群は、前年にESLプログラムで学び、約１年前にトロントに移民してきた児童の中から選んだ。統制群は事後テストとしてメトロポリタン・アチーブメントテスト（MAT）を1973年10月に受けており、実験群は1974年10月に受けている。また両グループの親に面接を行った。ただし、最初の段階で両グループに違いがあると想定する明白な理由はないものの、事前テストを行っておらず、児童数も少ないため、結果の解釈には慎重さを期する必要がある。

調査の結果、MATの得点では統計的な有意差は認められなかった。しかし、スペリングでは統制群が、そして算数の概念と問題解決では実験群の方が、およそ半年分学習が進んでいることがわかった。ヘンダーソン（1977）は次のように指摘している。

> 実験群の児童にとって不利な結果が出たのは、統制群の児童の抽出方法による。テストの時点で統制群は実験群の児童よりもおよそ8ヶ月カナダに長くいたからである（平均して22ヶ月と14ヶ月の差）。(p.4)

親との面接によれば、学校と連絡をとる頻度は、実験群も統制群もほぼ同じであったが、実験群の3分の2の親は子どもの教師の名前を知っていたが、統制群の親は教師の名前を誰も知らなかったという。ヘンダーソン（1977）は以下のように面接結果をまとめている。

> ……実験群の児童の親によると、子どもたちが家でイタリア語を使うことが多く、アカデミックな面で親自身と同じような高い望みを持っていた。実験群の親たちは学校のことや教職員のこともよく知っていたのである。(p.5)

この結果は、児童は学力を十分につけ、かつ親も通常の英語プログラムの親よりも学校に深くかかわっているという点で、他の移行プログラムとほぼ同じである。

〈ポルトガル語プログラムの結果〉

ポルトガル語プログラムの評価は、イタリア語プログラムの評価よりも、参加した児童数が多く（実験群が二つ）より厳密に調査されている。そのプログラムは同じ地域の二つの学校で1974年9月にスタートしたものである。統制群は同じ地域の別の二つの学校の3クラスから抽出された。

MATのポルトガル語版を事前テストで使用し、事後テストには英語版を使用した。事前テストの差を調整するために共分散分析も行っている。結果は、実験群の方が事後テストのMATの三つのテストの得点、つまり、言語、算数の概念、問題解決において、統計的に上回っていた。また、有意差は認められなかったが、他の四つのテストのうち三つまで実験群の方が高く、その差はおよそ半年分の学習に相当するもの（スペリングを含む）であった。

英会話能力も絵の描写タスクを用いて測定している。両群ともほぼ同数の文を産出したが、実験群の方が文の中で平均してより多くの単語を用いていたという。なお、文中の平均単語数（Tユニット）はしばしば文の複雑さの指標として使われるものである（Hunt, 1970）。

学期末に（北米では春の初め）、ことばのやりとりについて、実験群と統制群の教室観察をした。その結果、実験群の教室では、児童同士、および児童と教師のくだけた会話にポルトガル語が使われるばかりでなく、説明を加えたり教科支援にポルトガル語が用いられていた。統制群の方は、教師と児童のやりとりには英語しか用いられず、くだけた会話にもポルトガル語をあまり使おうとしないようであった。

## 結論

実質、ここで取り上げたすべてのプログラム評価を通して、それがバイリンガル強化プログラムであろうと移行プログラムであろうと、継承語を教授言語として使うことが、主要言語による児童の学習にマイナスにはならないという結果がはっきりと出ている。実際、英語で受けた授業時間が少ない児童の方が、すべて英語で学ぶプログラムの児童よりも、英語力がずっと優れているというケースも見られたのである。

## ◆原注

(1) このプログラム評価研究は、ジム・カミンズの『継承語教育――基礎文献研究』(*Heritage Language Education: A Literature Review,* Toronto, Ministry of Education, 1983) の第2章をもとに書いたものである。

# 参考文献


Abella, I. & Troper, H. (1982) *None is too many.*, Toronto: Lester and Orpen Dennys.

Ada, A.F. (1988) "The Pajaro Valley experience: Working with Spanish-speaking parents to develop children's reading and writing skills in the home through the use of children's literature." In T. Skutnabb-Kangas & J. Cummins (Eds.) *Minority education: From shame to struggle*. Clevedon, England: Multilingual.

Ahlgren, I. (1982) *Sign language and the learning of Swedish by deaf children*. Newsletter School Research, 2. Stockholm: National Board of Education.

Amiel-Eleftheriadou, N-O. (1989) *The case of Greek-Canadian students: Some factors affecting their positive or negative attitude towards their mother-tongue*. Unpublished paper, Ontario Institute for Studies in Education.

Anderson, J.T.M. (1918) *The education of the New Canadian*. Toronto: Dent.

Ashworth, M. (1988) *Blessed with Bilingual Brains: Education of immigrant children with English as a second language*. Vancouver: Pacific Educational Press.

Baetens Beardsmore, H. & Kohls, J. (1988) "Immediate pertinence in the acquisition of multilingual proficiency: The European schools." *Canadian Modern Language Review*, 44, 680-701.

Baetens Beardsmore, H. & Lebrun, N. (1991) "Trilingual education in the Grand Duchy of Luxembourg." *Focusschriften in Honour of Joshua Fishman*. Amsterdam & New York: Benjamins, 107-122.

Baker, C. & Battison, R. (1980) *Sign language and the Deaf community*. Washington, D.C.: National Association for the Deaf.

Barber, J. (1988) "School board jungle." *Toronto, Globe and Mail*, February, 28-53.

Berry, J.W., Kalin, R. & Taylor, D.M. (1977) *Multiculturalism and ethnic attitudes in Canada*. Ottawa: Ministry of Supply and Services Canada.

Berryman, J. (1986) *Implementation of Ontario's Heritage Languages Program: A case study of the extended school day model*. Unpublished doctoral dissertation, University of Toronto.

Bhatnagar, J. (1980) Linguistic behaviour and adjustment of immigrant children in French and English schools in Montreal. *International Review of Applied Psychology*, 29, 141-159.

Black, N.F. (1913) *English for the Non-English*. Regina: Regina Book Shop Limited.

Bureau des Services aux Communautés Culturelles (1983) *Programme d'Enseignement des Langues d' Origine (P.E.L.O.): Etat de la situation*. Québec: Gouvernement du Québec.

Canadian Ethnocultual Council (1988) *The other Canadian languages: A report on the status of heritage languages across Canada*. Ottawa: Canadian Ethnocultural Council.

Carey, S. & Cummins, J. (1979) *English and French achievement of grade 5 children from English, French, and mixed French-English home backgrounds attending the Edmonton Separate School System English-French immersion program*. Report submitted to the Edmonton Separate School

System.
Chapman, E. (1981) *An evaluation of the first two years of the English-Ukrainian bilingual program: Summary report*. Winnipeg: Manitoba Department of Education.
Collenette, D.M. (1984) *The place of multiculturalism in Canada's long-term economic development*. A brief submitted to the Royal Commission on the Economic Union and Development Prospects for Canada, March.
Comité d'Implantation du Plan d'Action à l'Intention des Communautés Culturelles. (1983) *Rapport annuel 1981-1982*. Quebéc: Editeur Officiel du Québec.
Commissioner of Official Languages. (1983) *Annual Report, 1983*. Ottawa: Comrnissioner of Official Languages.
Conseil Superieur de l'Education. (1983) *L'Education interculturelle: Avis au ministre de l'éducation*. Québec: Gouvernement du Québec.
Coxe, D. (1985) "The back page: Occidental to a fault: The languages most important to our commercial future are the ones we study the least. " *Canadian Business*, February.
Cummins, J. (1981) *Effects of kindergarten experience on academic progress in French immersion programs*. Toronto: Ontario Ministry of Education.
Cummins, J. (1983) *Heritage language education: A literature review*. Toronto: Ministry of Education, Ontario.
Cummins, J. (1984) *Bilingualism and special education: Issues in assessment and pedagogy*. Clevedon, England: Multilingual Matters.
Cummins, J. (1988) "From multicultural to anti-racist education: An analysis of programmes and policies in Ontario." In T. Skutnabb-Kangas and J. Cummins (eds.) *Minority education: From shame to struggle*. Clevedon, England: Multilingual Matters.
Cummins, J. (1989) *Empowering minority students*. Sacramento: California Association for Bilingual Education.
Cummins, J. & Mulcahy, R. (1978) "Orientation to language in Ukrainian-English bilingual children." *Child Development*, 49, 1239-1242.
Cummins, J. & Troper, H. (1985) "Multiculturalism and language policy in Canada." In J. Cobarrubias (ed.) *Language policy in Canada: Current issues*. Quebec: CIRB/ICRB.
Cummins, J., Ramos, J. & Lopes, J. (1989) *The transition from home to school: A longitudinal study of Portuguese-speaking children*. Unpublished research report, OISE.
Cummins, J. & Sayers, D. (1995) *Brave New Schools: Challenging Cultural Illiteracy Through Global Learning Networks*. Tronto: OISE Press.
Cziko, G. (1975) *The effects of different French immersion programs on the language and academic skills of children from various socioeconomic backgrounds*. M.A. Thesis, Department of Psychology, McGill University.
Danesi, M. (1986) *Teaching a language to children from dialect backgrounds*. Toronto: OISE Press.
Danesi, M. (1988) *Studies in heritage language learning and teaching*. Toronto: Centro Canadese Sculola e Cultura Italiana.

Danesi, M., Cicogna, C., Gaspari, A.M. & Menechella, G. (1990) "Lo studio di una seconda lingua in un contesto scolastico-formale. Risultati di una ricerca statistica." *Rassegna Italiana di Linguistica Applicata, Quadrimestrale a cura del Centro Italiano di Linguistica Applicata*, Anno XXII - n.1/2.

Danesi, M. & DiGiovanni, A. (1989) "Italian as a heritage language in Ontario: A historical sketch." *Polyphony*, 11, 89-94.

Davis, B.K. (1987) *An analysis of the public responses to the Proposal for Action: Ontario's Heritage Languages Program*. Toronto: Ministry of Education, Ontario.

Delgado, G.L. (1984) "Hearing-Impaired children from non-native-language homes." In G.L. Delgado (Ed.) *The Hispanic Deaf: Issues and challenges for bilingual special education*. Washington, D.C.: Gallaudet College Press.

Deosaran, R. & Gershman, J.S. (1976) *An evaluation of the 1975-76 Chinese-Canadian bi-cultural program*. Toronto: Toronto Board of Education, Research Report #137.

Dolson, D. (1985) "The effects of Spanish home language use on the scholastic performance of Hispanic pupils." *Journal of Multilingual and Multicultural Development*, 6, 135-156.

d'Onofrio, M. (1988) *A descriptive study of bilingualism and biliteracy development in two pre-school Italo-Canadian children*. Unpublished doctoral dissertation, University of Toronto.

Edmonton Public Schools. (1980) *Summary of the evaluations of the bilingual English-Ukrainian and bilingual English-French program*. Edmonton: Edmonton Public School Board.

Edwards, H.P. & Casserly, M.P. (1973) *Evaluation of second language programs in the English schools*. Annual report, Ottawa Roman Catholic Separate School Board.

Egyed, C. (1973) *The attainment of English language skills as a function of instruction in the native tongue of Italian kindergarten children*. Paper presented to the Canadian Psychological Association conference, Victoria, June.

Elwood, W. (1989) "Learning by root." *New Internationalist*, January.

Ewanyshyn, E. (1979) *Evaluation of a Ukrainian-English bilingual program, 1978-79*. Edmonton: Edmonton Catholic Schools.

Ewanyshyn, E. (1980) *Evaluation of a Ukrainian-English bilingual program, 1978-79*. Edmonton: Edmonton Catholic Schools.

European Commission. (1978) *Activities for the education and vocational training of migrant workers and their families in the European Community*. Contribution to the Standing Conference of European Ministers of Education.

Ewoldt, C. (1987) "Reading tests and the deaf reader. Can we measure how well deaf students read?" *Perspectives for Teachers of the Hearing Impaired*, 5, 21-24.

Feuerstein, R. (1979) *The dynamic assessment of retarded performers: The learning potential assessment device*. Baltimore: University Park Press.

Feuerverger, G. (1982) *Effects of the heritage language program on the ethnolinguistic vitality of Italo-Canadian students*. Unpublished M.A. Thesis, Ontario Institute for Studies in Education.

Fox, J., Coles, M., Haddon, S., & Munns, R. (1987) *Study visit to Toronto. Multi-Cultural education*. Unpublished report.

French, O. (1989) "Conway assailed for failing to make changes in deaf education." *The Globe and Mail*, December 21, A16.

Genesee, F. (1976) "The suitability of immersion programs for all children." *Canadian Modern Language Review*, 32, 494-515.

Genesee, F. & Lambert, W.E. (1980) *Trilingual education for the majority group child*. Unpublished research report, McGill University.

Genesee, F., Tucker, G.R. & Lambert, W.E. (1978a) "An experiment in trilingual education: Report 3." *Canadian Modern Language Review*, 34, 621-643.

Genesee, F., Tucker, G.R. & Lambert, W.E. (1978b) "An experiment in trilingual education: Report 4." *Language Learning*, 28, 343-365.

Giroux, H. (1988) *Teachers as intellectuals: Toward a critical pedagogy of learning*. Granby MA: Bergin & Garvey.

Gouvernement du Québec. (1981) *Autant de façons d'être québécois: Plan d'action du gouvernement du Québec à l'intention des communautés culturelles*. (English version: Quebeckers each and every one), Québec: Gouvernement du Québec.

Government of Alberta. (1988) *Language education policy for Alberta*. Edmonton: Government of Alberta.

Grande, A. (1975) "A transition program for young immigrant children." In A. Wolfgang (ed.) *Education of immigrant students: Issues and answers*. Toronto: OISE.

Hansen, B. (1987) "Sign language and bilingualism: A focus on an experimental approach to the teaching of deaf children in Denmark." In J. Kyle (Ed.) *Sign in School*. Clevedon, England: Multilingual Matters.

Harney, R. & Troper, H. (1975) *Immigrants: A portrait of urban experience 1890-1930*. Toronto: Van Nostrand Rheinhold.

Hebert, R. et al. (1976) *Rendement académique et langue d'enseignement chez les élèves franco-manitobains*. Saint-Boniface, Manitoba: Centre de Recherches du Collège Universitaire de Saint-Boniface.

Henderson, K. (1977) *A report on bilingual transition programs for Italian and Portuguese immigrant students*. Unpublished research report, Ontario Institute for Studies in Education.

Hunt, K. (1970) *Syntactic maturity in school children and adults*. Monographs of the Society for Research in Child Development, 35, (whole no. 134).

Israelite, N., Ewoldt, C., Hoffmeister, R. et al. (1989) *A review of the literature on the effective use of native sign language on the acquisition of a majority language by hearing impaired students*. Research Project N. 1170. Final Report to the Ontario Ministry of Education, October.

Johnson, W. (1982) "Creating a nation of tongues." *Globe and Mail*, June 26.

Jones, J. (1984) "Multilingual approach reflects Canadian mosaic." *Language and Society*, No. 12, p. 33-38.

Kalantzis, M, Cope, B., & Slade, D. (1989) *Minority languages and dominant culture: Issues of education, assessment and social equity*. Barcombe, England: The Falmer Press.

Kalantzis, M., Cope, B., Noble, G., & Poynting, S. (1989) *Cultures of schooling: Pedagogies for cultural difference and social access*. Wollongong: Centre for Multicultural Studies.

Keyser, R. & Brown, J. (1981) *Heritage language program survey*. Unpublished research report, Metropolitan Separate School Board.

Krashen, S.D. & Biber, D. (1988) *On course: Bilingual education's success in California*. Sacramento: California Association for Bilingual Education.

Lado, R., Hanson, I., & D'Emilio, T. (1980) "Biliteracy for bilingual children by grade 1: The SED Center Preschool Reading Project." In J.A. Alatis (ed.) *Current issues in bilingual education*. Washington, DC: Georgetown University Press.

Lambert, W. (1990) "Persistent issues in bilingualism." In Harley, B., Allen, P., Cummins, J., & Swain, M. *The development of second language proficiency*. Cambridge: Cambridge University Press.

Lane, H. (1984) *When the mind hears: A history of the Deaf*. New York: Vintage Books.

Lane, H. (1988) "Is there a "Psychology of the Deaf"?" *Exceptional Children*, 55, 7-19.

Lapkin, S. & Swain, M. (1977) "The use of English and French cloze tests in a bilingual education program evaluation: Validity and error analysis." *Language Learning*, 27, 279-313.

Larter, S. & Cheng, D. (1986) *Teaching heritage languages and cultures in an integrated/extended day*. Research Report #181. Toronto: Toronto Board of Education.

Lerman, A. (1976) *Discovering and meeting the needs of Hispanic hearing impaired children*. (Final Report CREED VII Project). New York: Lexington School for the Deaf.

Lind, L. (1974) *The learning machine: A hard look at Toronto schools*. Toronto: Anansi.

Livingstone, D.W. & Hart, D.J. (1983) *Public attitudes toward education in Ontario 1982: fourth OISE Survey*. Toronto: OISE.

Lo Bianco, J. (1987) *National policy on languages*. Canberra: Australian government Publishing Service.

Lo Bianco, J. (1989) Revitalizing multicultural education in Australia. *Multiculturalism*, 12, 30-39.

Lupul, M. (1976) "Bilingual education and the Ukrainians in Western Canada: Possibilities and problems." In M. Swain (ed.) *Bilingualism in Canadian education: Issues and research*. Edmonton: Canadian Society for the Study of Education.

Lupul, M. (1981) *The political implementation of multiculturalism*. Paper presented to the Ninth Biennial Conference of the Canadian Ethnic Studies Association.

MacCormack, R. (1989) "This playgroup looks the same but sounds different." *The Forerunner*, 2, Autumn, 12-13.

MacNamee, T. & White, H. (1985) "Heritage language in the preschool." *Language and Society*, No. 15, Winter, 20-23.

Malarek, V. (1989) "Quebec grapples with how to maintain French-speaking majority". *Globe and Mail*, October 30.

Mallea, J.R. (1989) *Schooling in a plural Canada*. Clevedon, England: Multilingual Matters.

Masemann, V.L. (1978-79) "Multicultural programs in Toronto schools." *Interchange*, 9, 29-44.

Masemann, V. & Cummins, J. (1985) *Education: Cultural and linguistic pluralism in Canada*. Ottawa:

Multiculturalism Canada.

Memmi, A. (1966) *Portrait du colonisé*. Paris: Pauvert.

McFadyen, J. (1983) "System overload" *Role Call*, 6, p. 2.

Ministry of Education, Ontario (s.d.) *Ontario's heritage language program*. Information pamphlet.

Ministry of Education, Ontario (1987) *Proposal for Action: Ontario's Heritage Languages Program*. Toronto: Ministry of Education.

Moody J.L. (1974) *Evaluation of the Punjabi-English class at the Moberly Primary Annex for the 1973-74 school year*. Research report 74-18. Vancouver: Vancouver Board of School Trustees, Department of Planning and Evaluation.

Musselman, C., Lindsay, P., & Wilson, A. (1988) "The effect of mothers' communication mode on language development in preschool deaf children." *Applied Psycholinguistics*, 9, 185-204.

O'Bryan, K.G., Reitz, J. & Kuplowska, O. (1976) *Non-official languages*. Ottawa: Supply and Services Canada.

Ogbu, J. (1978) *Minority education and caste*. New York: Academic Press.

Picard, A. (1989) "School board survey irks Montreal groups." *Globe and Mail*, November 9.

Popp, L.A. (1976) "The English competence of French-speaking students in a bilingual setting." *Canadian Modern Language Review*, 32, 365-377.

Ramphal, D.K. (1983) *An analysis of reading instruction of West Indian Creole-speaking students*. Unpublished doctoral dissertation, The Ontario Institute for Studies in Education.

Ramphal, D.K. (1984) "The effects of culture on black children's reading." *Multiculturalism*, 7, 22-27.

Report of the Special Committee on Visible Minorities in Canadian Society. (1984) *Equality now!* Ottawa: House of Commons.

Rocher, G. (1973) *Le Québec en mutation*. Montreal: Hurtubise.

Royal Commission on Bilingualism and Biculturalism (1966) *Preliminary report*. Ottawa: Ministry of Supply and Services Canada.

Royal Commission on Bilingualism and Biculturalism (1970) *Book IV. The cultural contribution of the other ethnic groups*. Ottawa: Ministry of Supply and Services Canada.

Rudser, S.F. (1988) "Sign language instruction and its implication for the deaf." In M. Strong (Ed.) *Language learning and deafness*. New York: Cambridge University Press.

Ryan, W. (1976) *Blaming the victim*. New York: Vintage Books.

Saif, P. & Sheldon, M. (1969) *An investigation of the experimental French programme at Bedford Park and Allenby Public Schools*. Research report, Toronto Board of Education.

Samuda, R.J. & Crawford, D.H. (1980) *Testing, assessment, counselling and placement of ethnic minority students*. Toronto: Ministry of Education, Ontario.

Samuda, R.J., Kong, S.L., Cummins, J., Lewis, J. & Pascual-Leone, J. (1989) *Assessment and placement of minority students*. Toronto: C.J. Hogrefe and ISSP.

Saskatchewan Organization for Heritage Languages (s.d.) *Heritage languages can bring the world to you*. Regina: SOHL.

Scarino, A., Vale, D., McKay, P. & Clark, J. (1988) *Australian language levels guidelines: Book I.*

*Language learning in Australia. Book 2. Syllabus development and programming. Book 3. Method, Resources, and Assessment. Book 4. Evaluation, curriculum renewal, and teacher development.* Woden, A.C.T.: Curriculum Development Centre.

Shapson, S. & Purbhoo, M. (1977) "A transition program for Italian children." *Canadian Modern Language Journal*, 33, p. 486-496.

Shaw, J. (1983) "Gaelic revisited: Maintaining Gaelic in Cape Breton in the '80s." In J. Cummins (Ed.) *Heritage language education: Issues and directions*. Ottawa: Multiculturalism Canada.

Sissons, C.B. (1917) *Bi-lingual schools in Canada*. Dent: London.

Skutnabb-Kangas, T. (1984) *Bilingualism or not: The education of minorities*. Clevedon, England: Multilingual Matters.

Skutnabb-Kangas, T. & Cummins, J. (1988) *Minority education: From shame to struggle*. Clevedon, England: Multilingual Matters.

Skutnabb-Kangas, T. (2000) *Linguistic Genocide in Education — Or Worldwide Diversity and Human Rights?* Mahwah, NJ: Lawrence Erlbaum Associates.

Snow, C.E. & Hakuta K. (1989) *The costs of monolingualism*. Santa Cruz: Bilingual Research Group University of California Santa Cruz.

Swain, M. & Lapkin, S. (1982) *Evaluating bilingual education*. Clevedon, England: Multilingual Matters.

Swain, M. Lapkin, S., Rowen, N., & Hart, D. (1988) *The role of mother tongue literacy in third language learning*. Paper presented at the SSHRC Conference on Exploring the Breadth and Depth of Literacy; St. John's Newfoundland, September.

Swisher, M.V. (1984) "Signed input of hearing mothers to deaf children." *Language Learning*, 34, 69-86.

Task Force on Multiculturalism (1989) *Multiculturalism in Saskatchewan*. Report to Ministers' Committee on Multiculturalism. Saskatchewan Parks, Recreation and Culture.

Titone, R. (1988) "From cognitive to integrated models of second language acquisition." In V.S. Lee (ed.) *Language teaching and learning: Canada and Italy*. Ottawa: Canadian Academic Centre in Italy.

Toronto Board of Education (1975) *Draft report of the Work Group on Multicultural Programs*. Toronto: Toronto Board of Education.

Toronto Board of Education. (1976) *Final report of the Work Group on Multicultural Programs*. Toronto: Toronto Board of Education.

Toronto Board of Education (1982) *Towards a comprehensive language policy*. The final report of the Work Group on Third Language Instruction. Toronto: Toronto Board of Education.

Troike, R. (1978) "Research evidence for the effectiveness of bilingual education." *NABE Journal*, 3, 13-24.

Troper, H. (1979) "An uncertain past: Reflections on the history of multiculturalism." *TESL Talk*, 10, 7-15.

Ukrainian Canadian Committee School Board (1987) *Suggestions for "Proposal for Action: Ontario's*

*Heritage Languages Program*." Brief submitted by the Ukrainian Canadian Committee School Board to the Ontario Ministry of Education.

Valli, C., Thumarm-Prezioso, C., Lucas, C., Liddell, S.K.,& Johnson, R.E. (1989) *An open letter to the campus community*. Gallaudet College.

Valpy, M. (1989) "Canadians' charity was always a myth." *Globe and Mail*, March 2l.

Watson, J. (1988) *Gaelic language teaching in Cape Breton*. Paper presented at the National Conference on Heritage Language Teacher Training, OISE, Toronto, 1988.

Weiner, G. (1989) *Speaking notes for the Honourable Gerry Weiner, Secretary of State of Canada and Minister of State Multiculturalism and Citizenship*. March 21, International Day for the Elimination of Racial Discrimination.

Wells, G. (1981) *Learning through interaction: The study of language development*. Cambridge: Cambridge University Press.

Wechsler, D. (1974) *WISC-R Manual*, New York: Psychological Corporation.

Wilson, A.K. (1983) *A consumer's guide to Bill 82: Special education in Ontario*. Toronto: O.I.S.E.

Wright, E.N. & Tsuji, G.K. (1984) *The grade nine student survey: Fall 1983*. Toronto: Toronto Board of Education, Research Report No. 174.

Wynnyckyj, O. (1989a) "Why no bilingual education in Ontario?" *New Perspectives*, February.

Wynnyckyj, O. (1989b) "Language is political." *New Perspectives*, June.

# カナダの継承語教育その後——本書の解説にかえて

中島 和子
（トロント大学名誉教授）

## 1．はじめに

私がカナダのトロント大学東アジア研究科で日本語、日本語教育学を教えていたのは1967年から2002年までである。ちょうど本書がカバーする1970年代、1980年代をカナダで過ごしたことになる。本書の著者であるカミンズ教授はトロント大学の教育大学院（Ontario Institute for Studies in Education, OISE）[1]、ダネシ教授は同大学のイタリア語学科に所属していた。

両者とも言語教育の世界的リーダーであり、ビジョンを持ってカナダの継承語教育を支え、発展させた人たちである。カミンズ教授とはトロント補習授業校の日本人児童生徒を対象に、第一言語（日本語）と第二言語（英語）の発達上の関係について共同で研究調査を行ったし、またOISEに「国立継承語リソースユニット」（National Heritage Language Resource Unit, NHLRU）が設置されてニュースレターの発刊や各種プロジェクトが始まったときには、日本語部門を代表して参加、首都オタワの「継承語研究者会議」（1983）や「全国継承語教師大会」（1988）などにも出席した。ダネシ教授は文理学部で発刊していた言語教育関係の紀要（Language Teaching Strategies）の編集長で、私は東アジア言語代表の編集委員を一時務めたことがある。両者とも名実ともに人間的な魅力にあふれる優れた学者であり、多くの同僚、学生の尊敬と信頼を集めている。

カナダは言語教育の宝庫である。フランス語イマージョン教育をはじめ、継承語教育や小学生の外国語教育など、言語形成期の子どもの自然習得の力を活かした語学教育が盛んである。なかでも継承語教育は世界的に見てユニークであり、カナダが国際社会でもっとも貢献する可能性を持った分野である。私自身子育てを通してトロント市の継承語教育の推移を自ら体験し、その重要性を身をもって認識するとともに、カナダ日本語教育振興会という全国組織を立ち上げてその初代会長として10年間、ワークショップ、教材開発、授業分析などを通して、継承日本語教育に専門的な取り組みをしてきた。

本書は、カナダの継承語教育の歴史とその理論的根拠を明らかにしたものである。21世紀に入って、いよいよ国境を越えてヒトやモノの移動が激しくなり、生地ではないところで育つ子どもの数は増える一方である。日本でも地域社会や公教育での外国人児童生徒の受け入れが身近な問題になり、マイノリティ言語児童生徒の母語育成は避けて通れない日本の課題である。今こそカナダの継承語教育の生みの苦しみ、存続の難しさ、その研究成果からわれわれが学ぶことが多いと考え、OISE に研究員として一時滞在された高垣俊之教授と本書の日本語訳にとりかかった次第である。一人でも多くの方に読んでいただきたいと願っている。

日本の読者に本書を理解していただくために、まず継承語という用語の問題、カナダの教育制度、1990年以降の継承語教育、そして継承語としての日本語教育などについて簡単な解説を試みたい。読者の一助となれば幸いである。

## 2. 継承語、継承語教育という用語

継承語、継承語教育って何だろう？　どうして母語、母語教育と言わないのか？　国語、国語教育とどう違うのか？　いろいろ疑問を持たれるだろう。確かに継承語は、日本ではまだ耳慣れない用語である。しかし、離散家族の子どものことばの問題を考えるときには、「母語」「外国語」という一対の用語では対応しきれず、「継承語」「現地語」という対語が必要に

なる。耳なれない用語でもあえて使わざるをえない状況があることを踏まえて、まず国語、国語教育と比べると次のようなことが言える。

国語は、社会の主要言語を母語(2)とする子どもの第一言語である。国語教育では、日本で生まれて幼少のときから日本語で育ってきた子ども、つまりすでに話しことばの基礎が身につき、ある程度の運用能力を持っている子どもが対象となる。学校教育のなかで日本語の読み書きを教え、より高度にまた広範囲に日本語を駆使する力を養うと同時に、より深く自国の言語文化、つまり、ものの考え方、感じ方、価値観を教えるのが国語教育である。子どもなら誰でも必要とするものである。一方、継承語は母語・母文化が危険にさらされるマイノリティ言語の子どものみが必要とするもので、母語が社会の少数言語であるため、社会の主要言語で教科学習を余儀なくされる子どもが対象となる。

継承語教育は、異言語環境で親のことば、文化を育てる教育である。したがって、世界の各地にある在外教育機関（日本人学校や補習校）も継承語教育であるし、日系人の手で営まれる各種日本語学校も継承語教育である。また国内のオールドカマーの朝鮮・韓国人学校、中華学校、ニューカマーの母語教室（例えば、ベトナム語、ポルトガル語、スペイン語など）、ブラジル人、ペルー人学校もみな継承語教育の一種である。継承語教育は社会の周辺的な立場にある子どもの教育であるがゆえに、資格のある教師の不在、年齢相応の教材の不足、方法論の未発達などの問題を常に抱えており、教育的にもっとも恵まれない言語教育の一領域と言える。

さて、「母（国）語教育」「母語維持教育」「母語保持教室」という用語があるのに、なぜあえて「継承語」「継承語教育」と使うのかということであるが、それは一口に言うと、親の母語が子どもの母語とは言えない状況が異言語環境では生じるからである。例えば、現地生まれの子どもの場合、生まれて初めて覚えたことばは親の母語であることが多いが、学齢期になって現地語を使って学習するようになると、どうしても親のことばが「弱いことば」で現地語が「強いことば」になっていく。親が母語で話しかけても、子どもは現地語で答えるというような状況がよく起こるのである。つまり、幼少のころは親の母語が自分の「母語」でもあったが、「現地語」が強くなるにつれ、自分の「母語」とは言えない状況になる。かといって親のことばが「外国語」になるわけではない。このような状況の親のことばを「継承語」と呼ぶのである。学齢期の途中で海外に出た子ども（準一世）の場合は、「母語」と言える状態を維持することが可能であっても、幼少のときに移動した子どもや現地生まれ（二世）になると、「継承語」という用語がどうしても必要になる。本書第４章、第５章でカミンズとダネシが繰り返し強調しているように、親のことばは親子のコミュニケーションに不可欠なものであり、親との交流の質がことばの発達、人格形成、情緒安定、第二言語の獲得に多大な影響を及ぼすものであるから、継承語を現地語と同時に伸ばすことが教育的に非常に意味のあることなのである。

Heritage Language に「継承語」という日本語を当てたのは、たぶん私が初めてであろう[3]。本書の翻訳に当たって改めて訳語を考えてみたが、やはり「（親から）継承（した）言語（・文化）」という意味で継承語とした。母語を失う経験がない日本人には理解しにくいであろうが、親から継承したことばと文化の重みはいくら強調してもしたりない。「遺産言語教育」[4]という訳語も見かけるが、過去の遺産というよりは子どもの人間形成に深くかかわる、生きた言語という意味で「継承語」に軍配があがった。

## ３．カナダの教育制度

次にカナダの教育制度について一言述べておきたい。カナダは広い国である。国土はロシアに次いで世界第二位（約990万平方キロメートル）で日本の約27倍、しかし人口は、2019年カナダ統計局資料によると、たった3237万9811人で日本の約３分の１である。首都オタワやトロント市のあるオンタリオ州には日本がすっぽり入ってしまうのである。行政区画としては、10州と３準州（図１）からなり、人口の多い順にあげるとオンタリオ州、ケベック州、ブリティッシュコロンビア州、アルバータ州となり、この四州でカナダの人口全体の85%を占める。歴史的に見ると、カナダはまずフランスの植民地として約150年間存続、その後イギリスの植民地となり、独立した隣国の大国アメリカ合衆国とは異なり、いまだにイギリスのエリザベス女王を国家元首とする立憲国家である。国民の約７割５分（74.8%）が英語話者、約２割（22.2%）がフランス語話者であり、この他先住民の言語（インディアン、イヌイック、メティスほか）、多様な言語を話す移住民が１割（10%）を占める。カナダは全体として100以上の言語を有する多言語複合国家である（カナダ国勢調査、2016による）。

本書を読んで継承語教育の地域差に驚かれるであろう。カナダが1867年に連邦制度を成立させたときに、すでにそれぞれの植民地でその地域に適

**図１　カナダの行政区画**

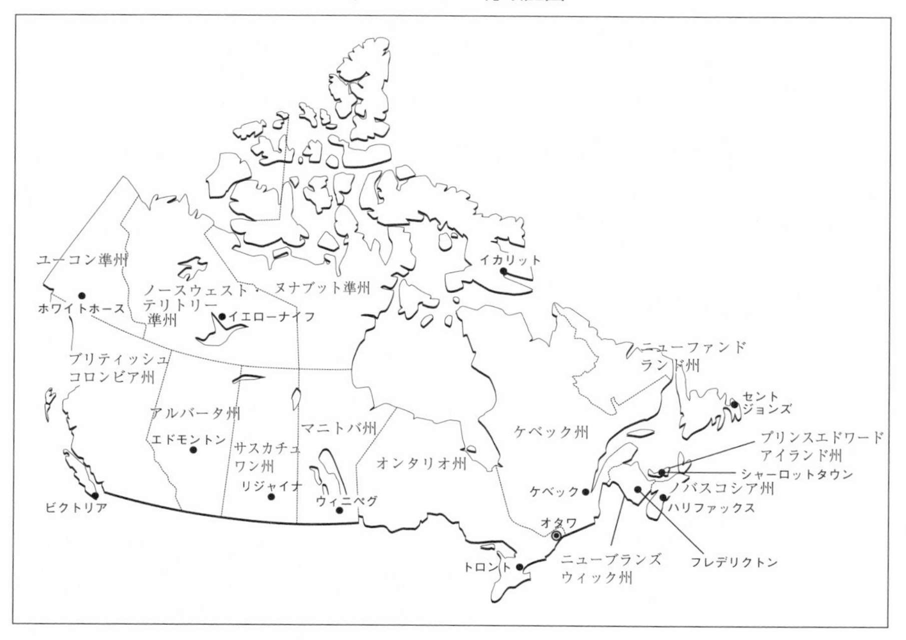

した学校教育制度や慣習が根付いていたため、連邦政府は中央集権的な教育制度を無理して確立するようなことはせず、そのまま州の独自性を認める形で現在にいたっている。そのため教育は幼稚園から大学まで州政府の管轄であり、連邦政府は基本的には管轄権を持たない。中央集権である日本では考えられないことであるが、連邦レベルで少数民族文化保護の視点から教育問題を立法化しても州がそれを採用するかどうかは別問題である。例えば、多文化主義法が成立したのは1988年であるが、ブリティッシュコロンビア州でそれを施行したのは1993年になってからである。もっとも、最近は、OECD の国際学習到達度調査（PISA)、その他全国規模の学習テストの実施や、州を越えて転校する生徒のための各州の履修条件や科目認定資料の提供などの必要から、1967年から始まった各州の教育担当大臣協議会（CMEC）の権限を拡張し、州相互の協力の必要性を強調している（1999年のビクトリア宣言)。これらの継承語教育の動きをカナダ全体の教育の流れのなかでとらえるために、カナダ継承語教育年表（1867年－2018年）を作成し、巻末に掲載したのでぜひ参照していただきたい（226－236ページ)。

学校体系の区分けも各州で異なる。まず義務教育は日本では９年（小学校６年、中学校３年）であるが、カナダの義務教育は５歳から16歳の誕生日までである。その区分も表１に示したようにまちまちである。オンタリオ州を例にとると、'primary school'（初等学校）が６年、'secondary school'（中等学校）が４年、その間の２年が小学校に上乗せされたり、高校に付属していたり、あるいは 'middle school'（中学校）として独立していたりする。就学前教育は公立の小学校に組み込まれており、州によって、また同じ州のなかでも学校や地域によって１年保育、または２年保育が行われている。カナダの継承語プログラムは幼児から中学２年までの10年間がその対象となっている。

本書が対象としている少数言語の児童生徒は、移住者の子どもである。この点、どちらかというと宙ぶらりんの状況を余儀なくされている日本の

表1 カナダの州別学校体系の区分 (5)

| | 州の名前 | 学校体系の区分 |
|---|---|---|
| 州 | ニューファンドランド | (1) 3-3-3-3 |
| | プリンスエドワードアイランド | 6-3-3 |
| | ノバスコシア | (1) 6-3-3 |
| | ニューブランズウィック | (1) 5-3-4（英語系）<br>(1) 8-4（仏語系） |
| | ケベック | (2) 6-5 |
| | オンタリオ | (2) 8-4 |
| | マニトバ | (2) 8-4 |
| | サスカチュワン | (1) 5-4-3 |
| | アルバータ | (1) 6-3-3 |
| | ブリティッシュコロンビア | (1) 7-5 |
| 準州 | ユーコン | (1) 7-5 |
| | ノースウェスト・テリトリー | (1) 6-3-3 |
| | ヌナブット | (1) 6-6 |

( ) 内は就学前教育の年数

「定住外国人」「外国人児童生徒」とは大きく異なる。労働力不足、少子化で悩むカナダは移住者に依存するところが大きく、ゆくゆくはカナダ市民となる大事なニューカナディアンの教育にかかわる問題である。また規模の面でも大きな違いがある。日本国内の外国人児童生徒の数はまだ全国で４万4000人程度（2019年）、学齢期人口のなかで占める比率が非常に低い。一方、移住者が集住するカナダの大都会では５人に１人は移住者の子どもと言われ、トロントの場合、小学校１年生の60％近くが英語を家庭で話していない子どもだという。要するに、カナダにとって継承語教育の占める位置づけが非常に高いということである。日本でも地域によっては、すでに学級の半数近くが外国人児童生徒という学校も生まれており(6)、これからの日本の教育を考えるうえでも多様性に富んだカナダのさまざまな事例が参考になるであろう。

最後に一言、先住民の教育に触れておきたい。注（第３章原注（２）、67ページ）にあるように本書では扱っていないが、カナダの先住民たちがファーストネーションズ（First Nations）という全国組織を形成しており、先住民たちの要求に対しても、カナダ政府は多文化主義法の成立と同時に教育の自治権を保障し、同年先住民諸団体に運営を委ねた「先住民言語プログラム」を開始、先住民教育プログラム助成のための「教育改革基金」

を設置している（1999年）。

## 4．1990 年以降のカナダの継承語教育

カミンズとダネシが書かなかった部分、つまり1990年以降のカナダの継承語教育はどうなったのであろうか。そして現在カナダの継承語教育はどのような状況にあるのだろうか。90年代の継承語教育をカナダで体験した立場からここで簡単に触れておきたい。

一口で言うと、90年代以降の継承語教育は停滞期の横ばい状態と言える。バブル崩壊後の世界的な経済的逼迫状況のなかで財政赤字を縮小するための努力の一環として「小さい政府」が目標とされると同時に、教育ではいかに少ない予算で最大の効果を上げるか（'do better for less'）が中心課題となった。公教育における政府の説明責任が問われるようになり、北米は全国テスト、標準テストの嵐にさらされるようになる。また21世紀に向けて、新しいＩＴ技術を教育に取り込むことが時代の要請となり、識字問題、先住民の言語保障への対応も迫られる。このような状況のなかで、より緊急性のある問題の陰に隠れて、人々の関心と注目を特に引かなくなった分野の一つが継承語教育と言えよう。

したがって、90年代以降のできごとには前向きのものが少ない。しかし、だからといって、継承語教育が意図的に潰されたとか、後退したとかいう問題ではない。あくまでも「二言語・多文化主義」のもとカナダの社会のなかで継承語教育の位置づけは安泰である。ただ期待していたほどの発展が見られないことから来る挫折感、悲壮感はぬぐえない。

まず第一は、1990年に連邦政府が継承語プログラムの支援から完全に手を引いたことである。そしてエドモントン市に設立される予定であったカナダ継承語研究所（Canadian Heritage Languages Institute）がついに実現しないままに終わってしまったのである。本書第３章の原注（１）（67ページ）にあるように、計画の段階（1988年）では、毎年運営費として50万ドル、

基金として80万ドルが5年間約束されていたのである。もし実現していれば、継承語教育の研究と実践のうえで多大の貢献ができたであろう。

第二は、「継承語教育」と呼ぶことをやめてすべて「国際語教育」（international languages）と呼ぶというオンタリオ州政府の発表（1993）である。継承語プログラムが小学校の外国語教育の一部に組み込まれたのである。関係者にとっては衝撃的なできごとであった。もともと本書第1章の原注（1）（14－15ページ）にも述べられているように、ヘリテッジ・ランゲッジ・プログラム（HLP）という名称には反対が多かった。特定の少数言語集団における過去の文化遺産の伝承という面が強調され、子どもの全人格形成に必要な言語の習得という前向きの面がぼやけてしまうというのが主な理由であった。また特定の少数言語集団が対象になり、英語やフランス語の公用語が排除されるため、差別語だという人もいた。今回の改称もこれらの反対論の延長線上にあるもので、改名の理由としてオンタリオ政府は次の三つをあげている（オンタリオ州教育省、1993年11月22日）。

・この政策は言語学習の本質的価値に焦点をあてようとするものであり、プログラムがある特定のヘリテッジの子どものためのものと解釈される傾向をなくすため。
・名称を変えることによって「ヘリテッジ（文化遺産）」よりも「コトバ」を強調し、自分の属するヘリテッジ集団と関係なく、すべての子どもがプログラムに参加することを奨励するため。
・現行の高校レベルの国際語（International Languages）との連携を取りやすくするため。

実は、政府の声明は、1992年に設置された諮問委員会の10項目の提言のなかの第1項目を採用したものである。諮問委員会の中心人物はカミンズ教授であり、これに続く9項目には次のような大事な提言が含まれていたのである。どれ一つとっても欠かすことのできないものばかりである。

- 課外のプログラムを週日の学校のカリキュラムのなかに組み入れること。
- アルバータ、ブリティッシュコロンビア、マニトバ、ケベック、サスカチュワン州にあるような継承語を授業言語とする教育ができるようにオンタリオ教育法（1990）を改正すること。
- HLPを9年生まで延長すること（高校の外国語教育は10年生からで、HLPは8年生までであったため、9年生がブランクになっていた）。
- HLPの教師の資質向上のため教授法コースを設置すること。
- 州教育省の反人種差別、少数言語集団の機会均等政策との統合をはかること。

オンタリオ州で始まった継承語教育の国際語教育への組み入れは、その後カナダの西部諸州にも広まっていった。しかし、HLPという名称が用いられなくなっても、継承語プログラムがなくなったわけではなく、そのまま存続していた。ところが実際に変化が生じはじめたのは、1994年に進歩保守党のマイク・ハリスがオンタリオ州の政権をとり、1995年に「オンタリオ州の教育の新しい基礎」という教育方針を発表してからである。前に述べたように「小さな政府」を目指して教育経費の削減に現実に乗り出したため、これまで週末継承語プログラムに無料で提供されていた公立小中学校の施設使用に借用料が請求されるようになり、その負担に耐えかねて多くの小規模な継承語プログラムが次々と消えていったのである。

1997年にカナダ日本語教育振興会が出版した『継承語としての日本語教育——カナダの経験を踏まえて』のなかで、私自身、消滅寸前の日本語学校を目の当たりにして、次のように自らを鼓舞している。

過去20年近くオンタリオで継承語教育に携わってきた教師や親は、このような状況になると、世の終わり、継承語教育もこれまでかと暗澹たる気持ちになるであろう。しかし、ランドレイとアラードが指摘するように、継承語教育の担い手は家庭、学校、コミュニティにまたがっており、もし政府援助の週末プログラムが弱体化した場合は、それとのカウンター・バランスで、家庭やコミュニティの役割がより重要になるのである。政府率先型の恩恵に浴していると、コミュニティが自力で継承語教育を可能にするエネルギーを欠く傾向がある。たとえば、次のような受益者負担の試みは考えられないものであろうか。継承語と現地語を育てるための〔私設〕の幼稚園を作るとか、日本語が定着する小学校２年生ぐらいまで、週に何度か通う、継承語塾を作るとか、日本でサマーキャンプを開くとか、またもっと息の長い話しでは、私立のバイリンガル校を建てるとか、公立校の中に日本語学習を日課とするAlternative School（代替案学校）を設ける運動を起こすとか、まだまだ親の力を結集してできることがあるのではなかろうか。（中島、1997: 10-11）(7)

カナダ西部では、継承語として日本語を学ぶ学習者に朗報があった。ブリティッシュコロンビア州（BC）は移住者児童生徒が多いにもかかわらず継承語教育に対して熱意を示さなかった州であるが、1993年に州の多文化主義法を制定し、小学校レベルの継承語も含む外国語教育に力を入れはじめた。そして、週末のコミュニティレベルの民間継承語プログラムで継承語を学習してきた高校生が、希望すれば州制定のテストを受けて高校２年、３年の外国語の単位が取得できるようになったのである。つまり、家庭や民間の日本語学校で継承語を維持する努力を続けていれば、大学進学に必要な高校の単位になるという制度である。本書63ページにあるように、ある言語についてはそのような制度がすでにあったようであるが、日本語に適応されたのは1994年のことである。ことばの勉強には時間がかかり、継続が何よりも大切である。継承語を幼少から始めて高校まで継続するためには、親のエネルギーもさることながら、子ども自身の意欲の持続が課題となる。学習者の動機づけを高める一方法として、BC 州の制度は継承語教育の分野でユニークな取り組みであり、日本でも参考にすべきものであろう。

もう一つ明るいニュースがある。それは、1999年にアルバータ州のカルガリー教育委員会がこれまでのエドモントン市にあるモデルに従って、新しく中国語、ドイツ語、スペイン語の継承語バイリンガルプログラムを始めたことである。本書に詳しく紹介されているように（第３章、59－60ページ）、継承語バイリンガルプログラムはもっとも効果があがる形態であり、それが拡充の傾向にあるということは喜ばしいことである。特に家庭言語として使われなくなった三世以降の継承語教育や、先住民言語や消滅の危機に瀕していることばの再獲得のためには、この方法に勝るものは考えられない。

カナダ以外での大きな動きは、1998年以降の米国における継承語教育の盛り上がりであろう。この動きは、世界的紛争を解決するのに必要な言語資源が欠如しているという反省に基づくもので、家庭使用を通して保持された少数言語話者の語学力をより高め、アメリカの諜報活動に必要な国の言語資源として活用しようという視点である(8)。カナダの継承語教育が幼児から中学２年までを対象とし、全人間教育に必要なものという見解であるのと対照的で興味深い。この一連の動きのなか、米国日本語教師会（ATJ）で2001年にHeritage SIG（継承語特別部会）が発足、ATJのホームページ上に継承語に関する論文が掲載されるようになった。同時にディスカッション・グループ（JHL-L@listserv.ucla.edu）も誕生し、2004年には継承日本語のジャーナルも発刊される運びとなっている。ATJの年次大会にもここ数年毎年継承語のパネルが開かれ、これまでほとんど皆無であった継承日本語に関する実証的な研究が蓄積されはじめている(9)。

日本国内はどうかというと、2003年に「母語・継承語・バイリンガル教育研究会」(10)が発足、2004年にプレ創刊号、そして2005年に『母語・継承語・バイリンガル教育（MHB）研究』創刊号が発刊された(11)。その発端になったのが、2003年の日本語教育学会春季大会で行われたパネルディスカッション「もう一つの年少者日本語教育——継承語教育の課題」である。海外日系人を対象とする「継承語日本語教育」は100年以上の長い歴史を持ちながら、これまで国内の日本語教育関係で取り上げられることがほとんどなかった分野である。現在「母語・継承語・バイリンガル教育研究会」が課題としているのは、①先住、定住、新来児童生徒の母語・継承語教育、②日系児童生徒の継承語としての日本語教育、③ろう児のためのバイリンガル教育、④海外・帰国、国際学校児童生徒、各種イマージョン教育の四領域であるが、いずれも既存の言語教育学会の中心テーマからややはずれるため、継子扱いされて日の目を見なかった領域である。今後の発展に期待したい。

## 5. 継承語教育の難しさ

本書は、1970年から1980年の終わり頃までの約20年間の継承語教育の推移を、萌芽期、隆盛期、停滞期に分けて歴史的に追ったものである（第1－3章)。全体としてはかなり悲観的なトーンで終わっている。なぜ「多言語主義、多文化主義のベールの下に隠れた主流派の体制維持」と痛烈な批判を浴びせるのか。なぜそう否定的なのかと疑問を持たれる読者もいるだろう。同じ移住者で成り立つアメリカでは継承語教育が意識的に始められたのがつい最近のことであり、世界の多くの国で（日本も含めて）少数言語児童生徒の継承語問題がほとんど無策に等しい状況に放置されていることを思えば、カナダの取り組みは30年も前に始まった、先駆的かつ画期的な試みである。もっと肯定的に見てもいいのではないだろうか。

実は、本書の底に流れる、悲観的なトーンに私自身共感を覚えないわけではない。目標を定めてあれだけ頑張ったのについに達成できなかった……という惜しかったなあという気持ちが、わがことのように伝わってくる。特に教育法の改正をしてオンタリオ州で継承語イマージョンプログラムの実現にまで持ち込めなかったことは、無念の一言に尽きる。多文化主義法の下、少数言語の言語権がこれほど守られている国において、しかも継承語教育の意義や理念がはっきり認識されているなかで、いい線まで行きながら多言語主義の実現において不徹底に終わったことに対する歯がゆさは今でも忘れられない。カミンズ、ダネシ両教授はビジョンを持って最前線で闘ってきた学者だけあって、彼らの落胆には計り知れないものがあっただろう。

振り返って思うことは、一般的な外国語教育や国語教育と比べて、継承語教育がいかに難しいかということである。ここで継承語教育についてより理解していただくために、私自身が体験を通して学んだ継承語教育の特徴とでも言える点を三つ指摘しておきたい[12]。

①まず第一に、継承語が言語集団間の力関係にもろに左右されるということである。国際語として猛威を奮う英語が主要言語である北米では、日本語のような少数言語を保持伸長することは難しいが、日本語の有用性が認められている地域では、日本語を保持すると同時に現地語を習得することはさほど難しいことではない。国内の外国人児童生徒の場合でも、英語を母語とする子どもは、英語力に対する一般日本人の価値づけが高いために保持がより楽であるが、日本人が有用性を認めない少数言語となると日本語への置換が早くなる。このように少数言語の社会的立場が弱ければ弱いほど、マイノリティ言語話者自身が主要言語へのアクセスを重要視するため、言語グループメンバーの間で継承語の重要性に対する認識に差が生じ、足並みをそろえることがなかなかできない。オンタリオ州の継承語教育の歴史を振り返ってみても、皮肉なことに、その推進を阻んだ政治家自身が移民の子であることが多い。継承語を自ら捨てて、英語話者になりきることに徹して成功したというケースである。

②第二は、世代によって継承語の機能が変化し、母語と現地語の意味論的棲み分けが起こることである。現地語が不得手な一世にとっては、母語は家庭やコミュニティの生活をするうえで欠かせないものであるが、学校に行って現地語で学ぶ準一世や現地生まれの二世になると、

母語と現地語の二つを使い分ける併用生活になる。つまり、学校のような公的な場面では現地語を用い、家庭のような私的な場面では親の母語を使うという生活を余儀なくされるのである。それが三世以降になると、親のことばは聞いてわかるが、話す言語はすべて現地語となる。そうなると継承語が生活上の機能をまったく失い、○○系のシンボルとしての機能しか果たさなくなる。その場合、親や祖父母のことばが外国語になるかというとそういうわけではない。生活上使用しなくとも、自らの出自は○○系であるという意識は根強く残るし、合いことばのようにある種の表現や単語（例えば、たくわん、みそ汁という類の食生活に関する語彙や正月、盆、香典というような生活様式に関する語彙）が生活のなかで使われる。したがって、継承語教育では、教育内容が一つの枠組みで内容をある程度規定できる国語教育や外国語教育と違って、世代のニーズに合わせて常に流動的な対応が必要となるのである。

③第三は、親との関係である。継承語が異言語環境での親のことばと文化の教育であるがゆえに、親との関係が外国語教育とは異なる。外国語の場合には、親が子どものことばの習得を前向きに受けとめる傾向があるのに対して、継承語となると、自分のことばであるし、自分が苦労して覚えた経験がないため、子どもの継承語に対してどうしても減点法で見る傾向がある。実際自分の子どもが変な日本語を話すと、「わが子なのに……なぜ？」と親は傷つくのである。特に多くの日本人の親の場合は、子どもを自分の延長線上に置き、自分と同じように考え、行動し、感じるものと無意識のうちに期待する。つまり、現実には子どもが片言しか話せなくても、高度の日本語に加えて高度の文化習得を前提にして子どもと付き合うのである。世代のギャップに加えて、文化のギャップが重なった子どもの重荷はたいへんなものである。国際結婚で両親の背景が異なる場合は、これに輪をかけて複雑になる。このような子どもには、日本人との付き合い方、日本文化の価

値観、親の考え方、感じ方まで教えてやらなければわからないのである。親が以心伝心でわかるはずだという期待を持つと、子どもは親との関係において自己実現に苦悩し、疎外感に悩んだり、反目しあったり、アイデンティティの混乱を来したりする。

以上のように、カナダ生まれの一人息子の日本語獲得の経緯を振り返ってみても、継承語の育成は社会的、社会心理的、心理的、言語的要因が複雑に絡む分野である。また繰り返しになるが、継承語は子どものパーソナリティの形成、第二言語の習得、知識・学力獲得の土台となるものであり、外国語教育が贅沢品であるとするならば、継承語教育は必需品であり、その教育的意義は多大である。理論的にも実践的にももっともっと深められるべき分野である。

## 6. 継承語としての日本語教育

では、カナダの継承語教育の流れのなかで、「継承語としての日本語教育」はどのような状況にあったのだろうか。継承日本語を一つのケースとして、受益者の立場からカナダの継承語教育の実態を見ることも本書を理解する一助になるかと思い、トロント市の状況を簡単に紹介する。

私が収集した調査資料（2000年５月）によると、表２に示したように当時トロント市にはトロント補習授業校を含めて、九つのプログラムがあり、その総登録人数は1213人であった。同じトロント市になぜこんなに種類が多いのかと思われるだろうが、それは対象児の世代と学習目標が異なるからである。まず対象児に関しては大きく分けて三種類あり、①日本に帰国予定の日本人の子ども（準一世）のための学校（表２の６）、②戦後の移住者であるニューカナディアン二世のための学校（１、２、３、４、５、８、９）、そして③戦前の移住者四世、五世のための学校である（７）。

このうち州の継承語プログラム（HLP）に登録して州政府の援助を受け

表2 K-12日本語学習者数――トロント市の例（2000年5月）

| | 学校名（創立年） | HLP | 初等中等教育（K-G8） | 高校（G10-12） | 合計 | 開講日 |
|---|---|---|---|---|---|---|
| 1 | イーストヨーク・ヘリテッジプログラム（1992） | ○ | 38（名） | | 38 | 放課後 |
| 2 | ピールボード日本語プログラム | ○ | 30 | 60 | 90 | 日曜 |
| 3 | トロント国語教室（1976） | ○ | 110 | 6 | 116 | 土曜 |
| 4 | ノースヨーク・ヘリテッジ日本語学校（1981） | ○ | 70 | 300 | 370 | 土曜 |
| 5 | セントラル・テクニカル・スクール | | | 90 | 90 | 土曜 |
| 6 | トロント補習授業校 | | 250 | 67 | 317 | 土曜 |
| 7 | トロント日本語学校（1949） | | 50 | | 50 | 土曜 |
| 8 | 日加学園（1978） | | 67 | | 67 | 土曜 |
| 9 | 日修学園（1986） | | 75 | | 75 | 土曜 |
| | 合計 | | 690 | 523 | 1213 | |

ているのが○で示した四つである。その中でプログラム1は、放課後のプログラムであるため、日系人以外の児童生徒に広く門戸を開いていた。余談になるが、そのなかにはカミンズ教授のご子息もいた。日系人児童生徒が多いのは、主に週末プログラム（2～5）で、このうち2のみが日曜日の午前中開講している。5は高校生対象であるためHLPには属していないが、継承語学習者が含まれているのでこの表に含めた。週末プログラムは日本人コミュニティの父母団体が経営している（3は移住者団体、4は宗教団体）。HLPの援助は、本書57ページにあるように、まず生徒25人に対して週3時間の教師の給与（時給29.03ドル、1995－6年度）の支給である。しかし、在籍人数が25人というのは多すぎるため、保護者から授業料を徴収して少人数クラスを作っているところが多い。その他、校舎の無料使用、現物支援（コピー用紙、チョークなど）、年に数回の教師研修、教育委員会が開発した「継承語カリキュラムガイドライン」（1989年）による教授内容の指針などがある。

6の「トロント補習授業校」は、外務省と文科省の管轄の在外教育機関であり、午後まで授業をして国語の他、算数、理科、社会科（低学年は生活科）を教えているが、高校の国語は現地校の高校の外国語の単位として認められている。7の「トロント日本語学校」はトロント市で一番長い歴史を持ついわゆる戦前の流れを汲む日本語学校である。1949年、第二次大戦後いち早く再開されたもので、当時は学習者数が非常に多かった。しかし、カナダ政府の日系人に対する迫害の経緯があり、政府が関与している継承語プログラムとはいっさい関係を持とうとしない。今では三世、四世、五世の時代になり、児童生徒の学習者数が毎年激減している。8の「日加学園」と9の「日修学園」は同じ戦後移住者の準一世、二世児を対象にしていたが、HLPには属そうとはせず、独自の理念を掲げて授業料のみで運営している。教育目標に微妙な差があり、3の「トロント国語教室」がよき「日本語のできるカナダ人」育成を目指しているのに対して、8と9はカナダに居住しながらも、「よき日本人育成」を目指している。いずれも国語教科書を採用しているが、その使用方法にも差があり、3と8は50％使用（1年に1冊のみ、6年修了時には4年生用国語教科書下巻が終わることになる）であるのに対し、9は75％使用を目指し、午後までかけて漢字教育や文化教育（習字、その他）に力を入れている。以上、同じ移民という立場でも、母国や母語に対する保護者の思いは実にまちまちであり、前述したように、これが継承語教育を複雑にしている一因である。

1982年に発足した全国組織であるカナダ日本語教育振興会が1994年に行った調査によると、上のような日本語学校（補習校と高校プロラムを除く）が全国に40あった[13]。その内訳は、ブリティッシュコロンビア（BC）州に20（50％）で、次はオンタリオ州13（32.5％）、アルバータ州に3（7.5％）、その他は4（10％）である。BC州は戦前の日本人移民の発祥の地であり、カナダで最初の学校であった「バンクーバー日本語学校」の前身が開設されたのは1906年（明治39年）までさかのぼる。それから第二次大戦直前まで、日本語学校が増え続け54校にまで達したという。その後1962年の移民法の改定で人種制限が取り除かれたため、1970年代にはどっと日本人移住者が増え、年平均600〜800人に上ったと言われる[14]。

戦前の日本語学校の活動は1941年の真珠湾攻撃後に強制閉鎖され、約2万2000人の日系カナダ人は財産を没収された。そして、すでに帰化した者も含めて全員カナダ西海岸から160キロ以上内陸にある収容所に強制収容され、その後カナダ各地、特に東部に移動することが強く奨励されたのである。カナダ政府がこの非を認め、公式謝罪と賠償金支払いに応じたのは1988年のことである。このような経緯から「バンクーバー日本語学校」の流れを汲む戦前の日系人対象の日本語学校は、カナダ政府の迫害に耐えてきた関係上、政府率先型の継承語プログラムには参加しようとしない。参加しようとしないばかりでなく、当時のバンクーバー日本語学校理事長は、そのような公立機関の援助こそ健全なコミュニティベースの継承語教育の発展を阻むものとして、90年の歴史から学んだ「エスニック言語の振興」のあるべき姿を次のように述べている[15]。

> 長年日本語教育に携わってきた民間の日本語学校から見ると、ここ十数年見られた公立教育機関での「補助を受けた日本語教育」が、「政府援助を受けない民間機関の日本語教育」の健全な発展を阻害してきたことは事実である。公立機関での安い日本語教育のために、民間日本語教育機関の授業料引き上げがきわめて困難な状況に置かれている。エスニック言語の振興には、税金からの恒常的資金援助を期待することなく少なくとも運営経費をブレイク・イーブンにする努力が必要だ。それには、ボランティア要素の必要性の再認識、固定経費の削減策を含め日本語教育コストの見直し、あわせて日本語教育サービスに対する公平な市場価格の位置づけが必要となる。(p.33)

このように継承語としての日本語教育は、時代の要請や地域のニーズに応えながら多種多様な形で存続しているのが現状である。

## 7. 本書の構成と主要テーマ

原書は133ページ、13×21cmの小冊子である。タイトルは『継承語――カナダの言語資源の開発と否定』である。庶民のための啓蒙書という体裁のもので、カナダの有識者（継承語教育擁護派）が手にとることはあっても、「カナダから一歩も出なかった……」とカミンズ教授自身が述懐しているほど、世に広まらなかったものである。カミンズの著作には、世界的レベルの学術書が数多くあるなかで、なぜ本書を選んで日本語に訳したのかと聞かれれば、答えは一つである。少数言語児童生徒の母語教育を多文化・多言語主義との関連でとらえ、母語教育の理論的根拠とその重要性をこれほど実証的にしかも実態に即して書かれたものは、私の知る限り他にないからである。国内の外国人児童生徒教育にかかわるものの一人として、ぜひ母語・継承語の教育的意義とその実現の難しさについて日本の識者や学校関係者にも知ってもらいたいというのが正直な理由である。カミンズ教授の著作には少数言語児童生徒の言語発達の問題をバイリンガル教育の立場から扱ったものが多いが、「言語資源」という概念とともに継承語教育の重要性を力強く打ち出しているものは他に見あたらない。

本書は6章と付録からなる。第1章でカナダ人のアイデンティティ構造との関係で継承語教育に関する政策立案者とマイノリティグループの論争を取り上げ、第2章でカナダの多文化政策との関連で、継承語論争を分析、歴史的に位置づける。第3章では、継承語教育に関する一連の連邦政府、州政府の政策と、継承語プログラムの台頭、隆盛、停滞を実態に即して全国的な規模で克明に追っている。第4章では、どうして継承語教育を公教育に導入する必要があるのかその理論的根拠を明らかにし、個人およびカナダ社会を豊かにする「言語資源」としての継承語という概念を導入している。巻末の付録には、その理論的根拠をサポートするカナダで行われた実証的研究を列挙している。第5章では、特異な少数派言語である、ろうコミュニティの言語問題を取り上げ、継承語に相当する手話の重要性を明らかにするとともに、マイノリティの子どものエンパワーメントの構造的枠組みを提示している。実は第5章は2003年に私が和訳して『ぼくたちの言葉を奪わないで！』(16)に掲載されたものであるが、今回それに手を加えた。第6章では、これからの国際社会におけるカナダの役割との関係で、継承語教育とカナダの言語資源の育成の重要性を位置づけている。

以上で明らかなように、本書はカナダ学や地域研究としてカナダを扱う専門家はもとより、広く多文化主義、多言語主義、多言語社会と言語教育、国際理解教育、反人種差別教育、少数グループの言語権や言語学習権、少数言語児童の教育・言語・アイデンティティ問題などに興味のある読者に貴重な情報と視点を与えてくれる。もちろん、母語・継承語教育、バイリンガル教育に興味のある識者には必読の書と言える。ただし本書は、言語教育を専門とする読者はすぐ気づかれると思うが、いったいどのような学習者に、どのようなカリキュラムを立てて、どのような教材を使って、どのような方法で継承語を教え、どのように評価するかという、いわゆる教授法一般で扱われる具体的な内容に関してはまったくと言っていいほど触れられていない。本書の特色は、あくまでもカナダ型多文化・多言語主義の接点にある、両者の調整役としての継承語教育の意義づけにある。

多言語主義は、多文化主義がどれほど徹底して実践されるか、あるいはそれが単に便宜的な政策にすぎないかを測る一種のバロメーターになると言われる。多文化主義を「一つの社会に複数の文化が共存できるように、それぞれの独自性と異質性を尊重し、集団間の不平等を正そうとする立場」(応用言語学辞典、2003: 387) とし、多言語主義を「社会の多言語併用に積極的価値を認め、これを保障し推進する立場」(三浦、1997: 12) と定義するならば、論理的には多文化主義を推し進めれば、当然多言語主義を伴わざるをえないし、多言語主義は多文化主義を前提にすることになる。カナダはこの点で、多文化主義の枠内で、継承語教育を推進してぎりぎりの線まで多言語主義を実現しようとした貴重なケースと言える。同じ多文化主義を掲げる国でも、オーストラリアなどは多文化主義をモットーとするが英語一辺倒の一言語主義であるし、フランスなどのようにEU（ヨーロッパ連合）に向かって「多文化主義」を力説するが、国内に向かっては「一文化・一言語」主義を通すという立場もある。このように、多文化主義を正面に打ち上げても、実際に多言語主義の実現に向かって努力したケースは少なく、カナダが遭遇した財政面、行政面、その他さまざまな問題は今後多文化・多言語主義を推進するうえで大いに参考になるものである。「カナダ型多文化・多言語モデル」として積極的に評価されるべきであろう。

「カナダ型多文化・多言語モデル」の中核をなすのは、「言語資源」という概念である。移住者が持ち込んだ多様な言語を前向きに評価し、それを、国を豊かにする言語資源と位置づけたものである。つまり彼らの言語を維持・伸長させることは、彼ら（マイノリティ側）に役に立つばかりではなく、われわれ（マジョリティ側）にとっても役に立つ貴重な資源づくりになるという視点である。よって、国民の税金を使って公教育のなかで継承語教育を実施する価値があるという意義づけである。このようなマジョリティ側の、マイノリティの言語文化に対する価値づけや価値の吊り上げがあってこそ、カナダで多言語主義の実現に近づくことが可能になったと言える。このカナダの「言語資源」という概念が、米国の継承語教育の興隆の引き金になったことはすでに述べたが、日本国内の帰国子女教育においても、また外国人児童生徒教育においても、日本の豊かな言語資源の開発を目指して、この観点から継承語教育への取り組みが期待されるところである。

21世紀の国際社会は、地球上のさまざまな地域や国々の間で相互依存的関係が増大し、地球の一体化、グローバル化が進んでいる。それに伴って、これまでの国民国家の枠を越えた新しい統合理念に基づく多言語社会の実現が必至である。それは、多様な言語や文化の共生を踏まえたものであり、新しい統合理念のパラダイムが模索されなければならない。その具体的な一つの例がヨーロッパのEUであろう。EUは「欧州言語年2001」宣言で、多言語・多文化政策を表明し、多様性こそ欧州の力であり、すべての言語が平等に学習されるべきであるとして、「母語プラス二（地域）言語」という複（数）言語主義（plurilingualism）を提唱している。ヨーロッパの若者が少なくとも三言語、あるいは、英語を加えて四言語、つまり複数言語、習得するというのである。三言語とはまず母語、それに加えて自らの地域語と、隣の地域の言語だそうである。カナダが一国家のなかに実現しようとした「カナダ型多文化・多言語モデル」は「言語資源」という概念とともに、このような超国家グループの成立・発展の流れのなかで必ずや活かされていくものと思われる。

カナダの継承語教育研究について最後に一言付け加えておきたい。家庭、地域集団、学校を教育の場とする継承語教育は、学際的な視点を必要とする。この点、早い時期に「継承語研究者会議」などを開いて、言語教育の専門家だけでなく、社会言語学、言語心理学、文化人類学など多様な背景の学者を継承語教育研究に巻き込んだことが、カナダの継承語教育研究を豊かにしている。もちろん質、量ともに膨大なカナダの公用語のバイリンガル教育研究とは比較にならないほど少ないが、少ないだけに貴重なものである。継承語教育の中核となる二つの大事な概念、「言語資源」と「二言語相互依存性」（83ページ）は、いずれもカミンズ教授が提唱したものである。カナダの多文化主義を初めて政治の舞台で提唱したトルードー首相と並んで、カミンズ教授の貢献なしには「カナダ型多文化・多言語モデル」はここまで来ることはできなかったであろう。この意味でカミンズ教授の貢献は偉大である。

◆注

(1) 現在カミンズ教授はトロント大学名誉教授である。

(2) 母語の定義は複雑であるが、ここでは「初めて覚えたことばで、今でも使えることば」と定義している。ちなみに母語は一つとは限らず、例えば国際結婚の場合などでは複数になる。

(3) 継承語という訳語を初めて使用したのは、次の二つの論文である。
中島和子（1988）「日系子女の日本語教育」『日本語教育』66: 137-50.
中島和子（1988）「日系高校生の日本語力」『移住研究』25: 1-4.

(4)「遺産言語教育」は例えば、次の文献で使われている。
多文化社会研究会（1997）『多文化主義——アメリカ・カナダ・イギリス・オーストラリアの場合』木鐸社
小林順子、関口礼子、浪田克之助、小川洋、溝上智恵子（2003）『21世紀にはばたくカナダの教育』東信堂

(5) 表1は、次の2点を参照して作成したものである。
小林順子（1994）『ケベック州の教育（カナダの教育1）』東信堂
カナダ教育研究会（2002）『カナダ教育研究』第1号、カナダ教育研究会

(6) 当時私の勤務校があった愛知県の豊田市には、保見団地というブラジル系の集住都市があり、そのなかの東保見小学校では、平成17年度の1年生は在籍生徒76名中34名（47.2%）がポルトガル系外国人児童生徒である。前年度はそれをはるかに上回っていた。

(7) 中島和子（1997）「継承語としての日本語教育序論」中島・鈴木編著『継承語としての日本語教育——カナダの経験を踏まえて』カナダ日本語教育振興会、p.3-20.

(8) この動きについては、Brecht, R.D. & Ingold, C.W. (1998) Tapping a National Resource: Heritage Languages in the United States. A National Foreign Language Center White Paper 参照のこと。

(9) http://www.Colorado.EDU/ealld/ath/SIG/heritage/index.html 参照。

(10) 2018年には正式に学会として認められ、現在は「母語・継承語・バイリンガル教育学会」となっている。

(11) 母語・継承語・バイリンガル教育研究会（2005）『母語・継承語・バイリンガル教育（MHB）研究』創刊号。連絡先は http://www.notredame.ac.jp/~eyukawa/heritage.

(12) この点に関しては、(7) に加えて次の拙論を参照されたい。
中島和子（2000）「カナダにおける継承語教育」『第7回国立国語研究所国際シンポジューム　バイリンガリズム——日本と世界の連携を求めて——報告書』国立国語研究所、p.45-58.
中島和子（2001）「継承語としての日本語教育」お茶の水女子大学国際日本学シンポジューム報告書、p.1-9.
中島和子（2003）『問題提起：JHL の枠組みと課題——JSL/JFL とどう違うか』「母

語・継承語・バイリンガル教育（MHB）研究会」プレ創刊号、p.2-11.
(13) 鈴木美智子（1997）「カナダにおける小・中学生の日本語教育――パネルリポート」中島・鈴木編著（1997）同上、p.23-30.
(14) カナダの日本語継承語教育の歴史的背景に関しては、野呂博子（1997）「カナダにおける継承語としての日本語教育」中島・鈴木編著（1997）同上、p.67-75に詳しい。
(15) 八木慶男（1997）「予算削減下の日本語教育・現状と対策――過去90年の歴史の上で学んだ教訓」中島・鈴木編著（1997）同上、p.31-34.
(16) 全国ろう児をもつ親の会編（2003）『ぼくたちの言葉を奪わないで！　～ろう児の人権宣言～』明石書店

**【参考文献】**

伊藤勝美（1988）「カナダ多文化主義教育政策の成立と変遷」関口礼子編著『カナダ多文化主義教育に関する学際的研究』東洋館出版社、p.86.
カナダ教育研究会（2002）『カナダ教育研究』第１号、カナダ教育研究会
カミンズ・中島和子（1985）「トロント補習校小学生の二言語の構造」『バイリンガル・バイカルチュラル教育の現状と課題』東京学芸大学海外子女教育センター、p.143-179.
加藤普章（1997）「カナダの多文化主義が意味するもの」西川長夫、渡辺公三、ガバン・マコーマック『多文化主義・多言語主義の現在――カナダ・オーストラリア・そして日本』人文書院、p.75-91.
小林順子、関口礼子、浪田克之助、小川洋、溝上智恵子（2003）『21世紀にはばたくカナダの教育』有斐閣
斉藤ひろみ（2005）「日本国内の母語・継承語教育の現状と課題 - 地域及び学校における活動を中心に」『母語・継承語・バイリンガル教育（MHB）研究』1: 25-41.
関口礼子（1988）「カナダ多文化主義教育の意義と展開」同編著『カナダ多文化主義教育に関する学際的研究』東洋館出版社、p.15.
多文化社会研究会（1997）『多文化主義――アメリカ・カナダ・イギリス・オーストラリアの場合』木鐸社
中島和子（2001）『バイリンガル教育の方法』増補改訂版、アルク
日本カナダ学会編（1997）『史料が語るカナダ――1535－1995』有斐閣
西川長夫、渡辺公三、ガバン・マコーマック（1997）『多文化主義・多言語主義の現在――カナダ・オーストラリア・そして日本』人文書院
林田享子（1993）「カナダの多文化主義政策と言語教育」異文化間教育学会『異文化間

教育』7: 41.
ヘンリー・F・ジョンソン、鹿毛基生訳（1984）『カナダ教育史』学文社
三浦信孝編（1997）『多言語主義とは何か』藤原書店
吉田健正（1999）『カナダ 20 世紀の歩み』彩流社
湯川笑子（2004）「3～5 世のための継承語教育——半世紀にわたる朝鮮学校教育実践の成果と課題」東京学芸大学国際教育センター『第 4 回外国人児童生徒教育フォーラム外国人児童生徒教育と母語教育』p.19-22.

〈カナダの教育に関するウェブサイト〉
カナダ全体：http://cmec.ca/educmin.stm
各州の初等・中等教育省庁
　ケベック州：http://www.meq.gouv.qc.ca
　オンタリオ州：http://www.edu.gov.on.ca
　マニトバ州：http://www.edu.gov.mb.ca
　サスカチュワン州：http://www.sasked.gov.sk.ca
　アルバータ州：http://www.learning.gov.ab.ca
　ブリティッシュコロンビア州：http://www.gov.bc.ca/bced

補　章

# 1990年代以降のカナダの継承語教育
## 過去30年の進展

## はじめに

これまで本書で述べてきた継承語教育の基本的な枠組みは、1990年代以降ほぼそのまま維持されている。オンタリオ州では、90年代初めにその名称が州政府によって「継承語プログラム」から「国際語プログラム」へと変わったが、これは「継承語」という概念が、子どもの全人的教育と人格形成に寄与する言語スキルの獲得というよりは、過去の伝統文化を守るという［後ろ向きの］ニュアンスが色濃くあることに対して、地域の民族文化コミュニティ（ethnocultural communities）が懸念を表明したからである。このような表面的と言えるプログラムの名称の変更によって、オンタリオ州では、ニューカマー児童生徒のための英語習得促進を目指す短期移行型(*1)バイリンガルプログラム以外は、手話と先住民の言語の一部を除いて、継承語と国際語を学校の授業言語として使用することが今でも［オンタリオ州教育法のもとで］違法となっている。

ケベック州では、1977年にオンタリオ州で始まった継承語プログラムと

[訳注]

(*1) 移行型バイリンガルプログラムは、過渡的バイリンガルプログラムとも呼ばれる。米国で始まったもの。英語で授業が受けられるようになるまで暫定的に母語を使うというもので、その目的は英語の習得であって母語を育てるための方策ではない。

同じような「ルーツ語教育プログラム（PELO）」に対して、今でも州政府が財政的援助を継続している。ただPELOの理論的根拠は、家庭言語の保持伸長をはるかに超えたところにある。教育委員会やケベック州政府の狙いは、知識やスキルの二言語間の言語から言語、文化から文化への転移を促進して、児童生徒のフランス語の向上と学力の獲得につなげることにある。

カナダの西部諸州（アルバータ州、ブリティッシュコロンビア州、マニトバ州、サスカチュワン州）では、国際語は教科として、あるいはバイリンガルプログラムを通して公教育で教える言語を意味し、継承語は通常、地域の民族文化コミュニティが運営するプログラムで教える言語を指す。既に述べたように明らかに西部諸州は、学校内で教科授業の媒介語として継承語なり国際語なりを使うことに対して東部諸州よりもはるかに寛容である。

継承語や国際語を含むバイリンガルプログラムは、西部４州のどの州にもある。そのリーダーはアルバータ州で、これまで様々な言語で積極的にバイリンガルプログラムを進めてきた。現在、50/50（%）の英語・継承語バイリンガルプログラムが手話、アラビア語、ドイツ語、ヘブライ語、標準中国語、ポーランド語、スペイン語、ウクライナ語で実施されている。近年大幅に拡大されたのはスペイン語で、現在（2019年）在籍生徒数が4000人を超えている。さらに最近特に強化されているのがクリー語（カナダで最も話者人口の多い先住民言語）、フィリピノ語、イタリア語の言語・文化プログラムである。

マニトバ州、サスカチュワン州などの平原州にもバイリンガルプログラムがある。例えばマニトバ州ウィニペグのセブン・オークス地区には、ウクライナ語＝英語バイリンガルプログラムや先住民の言語であるオジブエ語＝英語のプログラムがあり、それぞれ100人近くの児童生徒が学んでいる。最近この地区の大きなフィリピン人コミュニティのために、フィリピノ語＝英語のバイリンガルプログラムを始めたが、生徒数が少なく中止せざるを得なかったという（Sampson, 2019）。

社会・教育政策面から見ると、過去30年にわたる継承語教育の実態は、よく言えば玉石混淆、悪く言えば一貫性を欠くものである。カナダの教育は州の管轄であり、連邦政府はほとんど影響力を持っていない。連邦政府の予算が70年代、80年代に、民族文化コミュニティの継承語教育のために使われたこともあったが、90年代初期にそれは打ち切られている。この民間継承語教育に対する支援の停止は、連邦政府の多文化主義政策が保守派からも進歩派からも攻撃の的となったときに始まったものである。

保守派は、民族文化コミュニティが自らの言語や文化に執着して、主流社会への統合を拒否するインセンティブとなっているとして「多文化主義」を批判、一方進歩派は、「多文化主義」政策が「文化」の表層面のみを重視して、カナダ社会に根づいている差別や人種偏見に立ち向かおうとしないといって批判した。このように多文化主義政策は、右派からも左派からも攻撃を受けたため、連邦政府は民族文化コミュニティの継承語プログラムへの支援を打ち切ったのである。

過去30年間、州レベルでは、学校における多言語状況の実態を前向きに捉えて教育言語政策を明文化しようとした州はない。アルバータ州だけは1980年代にそのような公文書を検討したことがあった（Alberta Government, 1988）。他の州では（例：オンタリオ州）、短期の移行型バイリンガルプログラムを除いて、英語とフランス語以外の言語を授業言語として使用することを禁ずるという、マルチリンガリズムに関して実に制約のある言語政策が続いている。このように、学校におけるマルチリンガリズムや継承語に対する一貫性のある政策が欠如するなかで、一つ前向きな動きがある。それは、教室内で児童生徒の家庭言語の使用を歓迎する指導ストラテジーを模索して、それを現場で実践しようとする教育者が増えつつあることである。この一連の動きを私は「マルチリンガル・レンズ指導（teaching through a multilingual lens）」（Cummins, 2014）と呼ぶが、これについては本章の後半で取り上げる。

## イデオロギーと研究が交差するところ

継承語教育の基本的枠組みが40年以上もの間、比較的安定しているとはいえ、英語とフランス語（カナダの二つの公用語）以外の言語使用とその推進において、未だに議論の余地があるという事実はいぜんとして変わらない。それは、州の言語政策が研究成果によるのではなくイデオロギーによって決定されることが多いからである。

次の二つの例がその現実を如実に示している。第一は、オンタリオ州で法律を変更して継承語使用のバイリンガルプログラムを容認するか否かが、教育問題を様々な面から検討する学びに関する王立諮問委員会（Royal Commission on Learning）（1994）で審議されたときである。委員たちは「オンタリオ教育法」を改定して継承語を授業言語として認定するという要請文が数多く届いていること、また継承語バイリンガルプログラムが他州ではすでに導入されていることを認めながらも、次のように言っている。

> 今の段階では教授言語に関するオンタリオ州教育法の改定は勧めない。われわれは英・仏以外の言語を移行的プログラムで使用することを強く支持するものであり、それはすでにオンタリオ州では許可されている。（中略）われわれは学校で教科として言語を学ぶ教育システムにより大きな価値をおき、より多くの児童生徒が３言語（そして４言語）を学んで、中等教育、高等教育レベルでその学習を継続することを望んでいる。（中略）ただ、われわれの最大の懸念は、オンタリオ州のすべての児童生徒が少なくとも公用語の一つをリテラシーのレベルまで高度に習得しているかどうかである。全ての児童生徒が高度の英語力かフランス語力を獲得し、もう一方の公用語もかなりのレベルまで身につけられるように支援するのがわれわれの学校制度の責務である。われわれは既存の小学校レベルの選択制の国際語（以前は継承語）プログラムの価値は認めるが、それを超えてイマージョンプログラムやバイ

リンガルプログラムによって、膨大な数の非公用語を使って教育を受けるべきであると提案する段階ではないと考える。(1994, pp.106-107)

委員たちが、この問題の研究結果を踏まえていないことは残念ながら明白である。例えば、アルバータ州などのマイノリティグループのための英語と継承語のバイリンガルプログラムでは、在籍児童生徒が英語またはフランス語で「真のリテラシーの習得」まで到達していないという証拠は全くないのである。平原州でもオンタリオ州でも、継承語バイリンガルプログラムに対する要望が控えめなものであるにもかかわらず、「膨大な数の非公用語話者」からバイリンガルプログラムに対する要望が殺到するかのような幻想をつくりあげている。

研究成果よりもイデオロギーを重要視する第二の例は、ケベック州の例である。歴史的にケベック州の学校は、他の州でもよくあるように、学校内で家庭言語を使用することを奨励してこなかった。ところが最近、一部の教育委員会が学校の廊下や運動場でフランス語以外の言語を使用することを正式に禁止したのである。例えば2011年11月、モントリオール地区教育委員会（CSDM）は、47％もの生徒が英語とフランス語以外の言語を家庭で話す地域の学校で、校内どこでもフランス語のみを使用するように命じた。ケベックの新聞『ル・デヴォア』(*Le Devoir*, Gervais, 2012) は、過去50年間に行われた研究によると学校での家庭言語の使用は、学校の主要言語の習得を阻害するものではなくむしろ促進するものであると、モントリオール大学のフランソワーズ・アルマンド教授の言葉を引用して報じている。

この新聞記事に対して読者から86件ものコメントが寄せられて激しい議論となった。ところが大半が研究成果とは逆に、教育委員会の方針に賛同したのである。上記のオンタリオ州の例と同様に、この例も言語・文化の多様性が社会統合への脅威として多くの政策立案者や一般市民に受け止められている事実を反映するものであり、このイデオロギーの立場が、たとえ研究結果が正反対の方向を示していても、はるかに強大な影響を政策に与えることを示している。

## オンタリオ州の二つの移行的バイリンガルプログラムに関する評価研究

オンタリオ州ハミルトン市とウィンザー市それぞれの中国語と英語、アラビア語と英語の移行的バイリンガルプログラムで、在籍児童の英語と継承語の習得が学力にどのような影響を及ぼすかについて調べた研究がある（Cummins 他 , 2011; Koh 他 , 2017; Lam 他 , 2015）。オンタリオ州の教育法では英語による学力の伸びをサポートする「移行的バイリンガルプログラム」しか許されていないため（今でもそうであるが）、幼稚部から小学校４年までのプログラムで、授業はそれぞれ等分に二言語で行われていた。

これら二つの評価研究からは同じような結果が得られた。学校の中で授業の半分を継承語で学んでいる児童は、すべての授業を英語で受けている同じ言語背景の児童と比較して、学力面で継承語の進歩が見られた。英語のみを使用する児童と比べて、英語の授業時間が50％以下であるにもかかわらず、英語の読み書きの力を犠牲にせずに継承語の力を獲得したのである。中国語の比較グループの方は、州の「国際語プログラム」の一環として中国語を教科として学んでおり、その授業は正規の授業時間外に行われるものであった。

Lam 他（2015）は中国語＝英語バイリンガルプログラム（第２学年まで）のこれまでの成果を次にようにまとめている。

> まず第一に、中国語＝英語バイリンガルプログラムの児童は、通常の英語のみのプログラムの児童と比べて、より高度の中国語力と中国語の読み書き能力が獲得できていたこと。（中略）第二に、バイリンガルプログラムの児童は、比較グループと同等もしくは、わずかではあるがより高度の英語力が獲得できていたこと。これらの結果は、中国語の授業が増えても、バイリン

ガルプログラムの子どもの英語力の伸びが阻まれることはないことを示唆している。（中略）もう一つ重要なことは、家庭で中国語を話さない児童でも、時間をかけることによって両言語とも大きく伸びるという結果である。これは、家庭言語とは関係なく、すべての児童がバイリンガルプログラムの恩恵を受けられるということである。最後に、中国語と英語の測定で有意の相関関係が多々見られたが、これは二言語を同時に学ぶことによって、言語間の転移（cross-language transfer）が起こり、両言語の伸びがより促進されることを示唆している（p.119）。

Koh 他（2017）は、小学校４年までの上記の中国語＝英語バイリンガルプログラムの評価の結果を次のようにまとめている。

　英語力の測定において、英語の授業時間が少ないバイリンガルプログラムの児童が、英語のみのプログラムの子どもとほぼ同等の英語力があることがわかった。バイリンガルプログラムの児童の方がより有利であったのは中国語と中国語の読み書きテスト、特に漢字認識であった。バイリンガルプログラムの児童は、英語の読み書きの標準テストとオンタリオ州小学校３年の英語の読み・書き能力の州統一テストで、学年標準値を上回っていた。

カミンズ他（2011）はアラビア語＝英語の移行的バイリンガルプログラムの成果を次のようにまとめている。

　親も教師もプログラムに対して熱心で、プログラムが子どもの学力や人間形成に多大な影響を与えていると感じている。読み書きの初期の伸びに関する量的分析では、移行的バイリンガルプログラムの児童生徒は、アラビア語の読み書きの測定では、いくつかの項目でより優れており、英語力と英語の読み書きでも比較グループと同じレベルであった。つまり、英語を使用する授業時間が少ないことによって、児童の英語力や英語の読み書き力の伸びが

阻まれることは全くなかったということである。(p.5)

さらにカミンズらが注目しているのは、2010年春から秋にかけて、バイリンガルプログラムの児童生徒の方がアラビア語とその読み書き能力において大きな進歩を遂げたのに対して、比較グループである英語のみのプログラムの子どもたちは、アラビア語とアラビア語のリテラシーを喪失しつつあったということである。

## 現地校の普通クラスにおけるマルチリンガル指導方針の導入

継承語教育がカナダの学校に導入されて初めの20年間は、授業では現地校の教師が英語、あるいはフランス語を使うのが一般的であった。クラスの生徒が話す様々な言語を教師が使えないため、それ以外の指導の選択肢はないと思っていたからである。そのような状況の中で、モノリンガル指導ではなく、授業で継承語も使用するというカナダで初めてのバイリンガル指導の試みが「二重言語ショーケース (Dual Language Showcase) プロジェクト」である (Schecter & Cummins, 2003) (詳細は付録資料 p.192参照)。これは、多言語・多文化環境における効果的な指導方法を探るために、トロント近郊のピール地区教育委員会の多様な民族背景の児童が多数在籍する二つの小学校 (ソーンウッド小学校とフローラデール小学校) で、1998年に大学の研究者 (Schecter and Cummins) と現場教師が協力して始まったものである。ソーンウッド小学校では、小学校１年生の担任教師である Patricia Chow が、英語に加えて家庭言語も同時に使うことによって、子どもたちが前向きにリテラシー活動に参加する一方法として始めたものである。結果として、児童だけでなく、親も母語で子どもの物語作りを助けたり、母語から英語への翻訳を手伝ったりして、プロジェクトに積極的に参加するという効果もあった。

その後15年ぐらいの間に、ソーンウッド小学校の幼児から５年生までが様々な言語を使ってバイリンガル作品を作ったのである。それが学校のウェブサイトに現在Dual Language Showcaseとして掲載されている（図1）。カナダに来たばかりのニューカマーの子どもや、母語の読み書きができる子は、まず母語を使って作文を書いたが、まず英語で下書きを書いて親（または、その子の母語を話す教師など）と一緒に母語版を作る子どもも多かった。

図1　ソーンウッド小学校（Thornwood Public School）の教師Patricia Chowによる「二重言語ショーケースプロジェクト」

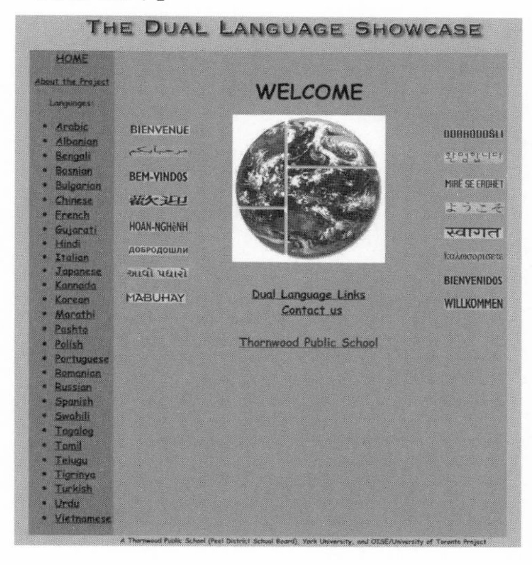


「二重言語ショーケースプロジェクト」は、たとえ教師が担当クラスの児童が話す言語がわからなくても、クラス活動に子どもや親が使う複数の言語、複数の表現モードを取り込むことによって、英語だけの世界を超えて、教師の指導空間をより開かれた領域にまで広げる（下線は筆者）ことで、教育省、地域の政策立案者、教員に極めて大きなインパクトを与えた。そして、このプロジェクトが本章の付録資料に掲載した様々なマルチリンガル指導プロジェクトのきっかけとなったのである。カミンズとアーリィ（Cummins & Early, 2011）は『アイデンティティ・テキスト』（*2）の中で、「本書の多くの事例研究は『二重言語ショーケースプロジェクト』からインスピレーションを得て始まった」（p. v）と述べている。プロジェクトに参加した児童（そして親も）は、作品が学校や大学のウェブサイトに度々公開されたり、教室の中で普段読む「本物」の作家の本と並んで図書室の本棚に置かれたりする自分たちの二言語創作作文やイラストに対して、心から誇らしく思ったという。

この「二重言語ショーケースプロジェクト」に感銘を受けて、多言語環境で育つ子どもの家庭言語を認知的ツール、コミュニケーションツールとして使うことの正当性を認める数々のプロジェクトがカナダの各地で始まった。付録資料はその例をまとめたものである。

## 結 論

過去30年にわたるカナダの継承語教育の動きは一枚岩とは言えず、ちぐはぐの様相を呈している。一方で、財政的困難に何度も遭遇しながらも1970年代にスタートした継承語プログラムへの支援に対して州政府が大幅な予算削減に踏み切ってはいないし、またアルバータ州のバイリンガルプログラムは隆盛を極めており、授業言語として継承語を使用することの有効性、教育における妥当性を示している。しかしながらその一方で、継承語と英語または継承語とフランス語の組み合わせで、二言語のリテラシーを同時に伸ばす真のバイリンガルプログラムを禁止するという制約のある政策を変えないオンタリオ州のような州もある。この状況の中で最も建設的な動きは、現場の学校教師たちの指導上のイニシアチブである。大学の研究者との協力で行われることが多いが、このような教師のイニシアチブとは、萌芽的な子どものマルチリンガル・スキルをメインストリー

[訳注]

(＊2)「二重言語ショーケースプロジェクト」のような取り組みをカミンズは「アイデンティティ・テキスト」と名付けた。「アイデンティティ・テキスト」は、本やお話や詩、ポスター、ドラマ、口頭発表などを複数の言語を用いて、また様々なテクノロジーを使って行う教室活動の総称である。このような活動を通して、言語背景や文化背景の異なる子どもたちがプロジェクトに対等の立場で積極的に参加し、自分の「声」をクラスメイトに聞いてもらう機会を得ること、自分の作品をウェブサイトなどによって大勢の人に見てもらい、前向きの評価を得ることによって、「英語」も「母語」もできるバイリンガル、トライリンガルとしてのアイデンティティの確立に繋がることを目的としている。カナダの学術振興財団（Canada Council）の援助を受けて、全国規模で地域の公立学校の教員の協力を得て行われたプロジェクトである。（本書 p.224のカミンズ・中島 2011；p.225の中島 2010）

ムの学校の授業の中で正当化することである。このマルチリンガル・スキルの正当性こそが、子どもの継承語と主要言語（英語かフランス語）の学びをサポートするばかりでなく、子どもの教育に親を積極的に巻き込むと同時に、マルチリンガリスムを子ども自身が自分のアイデンティティ形成の上で前向きに受け止めることを奨励するものである。

# 付録資料

## カナダの学校教育に導入された「マルチリンガル指導イニシアチブ」の例（2000～2019）

### ● ÉLODiL プロジェクト（言語への気づきと言語の多様性の容認）

（http://www.elodil.com/）

ÉLODiL プロジェクトは、児童生徒の言語への気づきと言語の多様性に対する理解を深めるために開発されたさまざまな教室活動である。モントリオール（モントリオール大学の Françoise Armand）とバンクーバー（サイモンフレーザー大学の Diane Dagenais）の２ヶ所で実施されたものである（Armand & Dagenais, 2012; Armand, Sirois and Ababou, 2008）。

### ●二重言語ショーケースプロジェクト

（http://schools.peelschools.org/1363/DualLanguage/Documents/index.htm）

二重言語ショーケースプロジェクトは、オンタリオ州ピール地区教育委員会のソーンウッド小学校の教員が始めたもので、EAL（= English as an Additional Language、英語補強プログラム）で英語を学ぶ小学生でも、英語と家庭言語の両方を駆使して物語を書くことができることを示したもの。（Chow & Cummins, 2003; Schecter & Cummins, 2003）（訳注＊2、p.190参照）

### ●マルチリテラシーズ（Multiliteracies）プロジェクト

（www.multiliteracies.ca）

マルチリテラシーズ・プロジェクトは、現場の教員と研究者であるブリティッシュ・コロンビア大学のマーガレット・アーリィとトロント大学のジム・カミンズとの一連の協同プロジェクトである。マルチリテラシーズという概念を踏まえて（New London Group, 1996）、様式面と言語面から学校教育におけるリテラシーという概念に対する理解を広げようとしたものである。(Cummins & Early, 2011; Cummins et al., 2005; Giampapa, 2010)

### ●マルチリテラシーズ ペダゴジー (Multiliteracies Pedagogy) プロジェクト

トロント市のヨーク大学のヘザー・ロザリントン (Heather Lotherington) 教授が2003年に始めたプロジェクトで、複言語主義という概念がどのように学校教育の現場で実践可能な指導モデルに組み替えられるかを、ジョイス公立小学校教員たちの協力を得て模索したものである。伝統的な物語を批判的見地から書き直すなど、児童のマルチリンガル能力を活用して種々の複数の言語で、多様なメディアを駆使したプロジェクトを行っている。(Lotherington, 2011; Lotherington & Paige, 2017)

### ●言語的に適したプラクティス (Linguistically Appropriate Practice) プロジェクト

言語的に適したプラクティス (LAP) は、移民の背景を持つ就学前児童や小学校低学年のための指導アプローチである。トロント市のライアソン大学のロマ・チュウマック－ホーバッチ教授 (Roma Chumak-Horbatsch) (2012, 2019) が開発したもの。子どもの家庭言語とリテラシー経験を土台にした教育哲学であり、具体的な一連の指導活動でもある。その目的は、子どもに教室で家庭言語を使うことを奨励すること、バイリンガルであることに誇りを持つこと、そして現地校で主要言語の流暢度とリテラシーを獲得すると同時に、家庭言語も同時に継続して伸ばすことにある。

### ●二重言語リーディング (Dual Language Reading) プロジェクト

二重言語リーディングプロジェクトは、カルガリー大学のRahat Naqviがカルガリー教育委員会のメンバーと一緒に始めたものである。様々な言語を話す子どもがいる地域の学校の子どもと、カルガリー教育委員会のスペイン語＝英語バイリンガルプログラムの児童生徒に、二言語で書かれた本を教員が地域の住民と一緒に読んで聞かせ、その効果を記述したものである。（www.rahatnaqvi.ca と Naqvi et al., 2012 を参照）

### ●「家族の宝物とグランマのスープ」（Family Treasures and Gramma's Soup）

二言語で書かれた本を作るプロジェクトで、カルガリー大学のヘティ・ロージン教授（Hetty Roessingh）とアルマディア・ランゲージ・チャプター・アカデミー（Almadina Language Charter Academy）が協力して始めたものである。目標は、幼稚園児や小学1年生に二言語の本を自分たちで作らせ、それを通して初期リテラシーの発達を促すことである。（www.duallanguageproject.com/ と Roessingh, 2011 を参照）

### ●スクリップジャブ（ScribJab）プロジェクト

（www.scribjab.com）

スクリップジャブプロジェクトは、サイモンフレーザー大学のダイアン・ダジュネ教授（Diane Dagenais）とケリーン・ツーヒィ（Kelleen Toohey）教授が、児童生徒の言語への気づきを高め、複数の言語能力とリテラシーを伸ばすために、長期にわたって学校教師と協力して行ったプロジェクトである（例：Marshall and Toohey, 2012）。その結果生まれたのがスクリップジャブというウェブサイトである。説明によると「スクリップジャブとは、子ども（10歳～13歳）がデジタルで物語（テキスト、イラスト、オーディオ録音など）を複数言語（英語、フランス語、他の非公用語など）で書くための iPad のアプリである。スクリップジャブは、子どもたちが物語について話し合ったり、自分の多言語資源について理解を深めたりするのに必要な、空間を提供するものである」という。Dagenais 他（2017）にスクリップジャブの誕生や効果について詳しい説明がある。

### ●ストーリーブック・カナダ プロジェクト

(http://www.storybookscanada.ca/about.html)

ウェブサイトによると、ストーリーブック・カナダ プロジェクトは、カナダのバイリンガリズム、マルチリンガリズムを推進するために開設した教師、親、コミュニティのウェブサイトである。公用語である英語とフランス語に加えて、カナダの主な移民・難民言語で［アフリカに由来する］40もの物語ができている。学校で英語やフランス語で読んだ物語を、家で親と子どもが母語で読むことができる。ストーリーブック・カナダ プロジェクトによってカナダの公用語の英語、フランス語を学びつつ、母語を話す力、母語で読む力を保持する上でも助けになる。同じように物語の音声版も、文字の習い始めの子どもが音声と文字との関係について学ぶのに役立つし、ストーリーブック・カナダのウェブサイトにある絵やイメージを使って自分の物語を作ることもできる。

以上のほか、カナダで教育者や研究者が取り組んできた多言語指導プロジェクトには、Cummins & Persad (2014), Marshall & Toohey (2012), Ntelioglou et al. (2014), Prasad (2016), Stille & Prasad (2015), Van Viegen Stille et al. (2016) などがある。

# 参考文献

Alberta Government (1988). *Language Education Policy for Alberta*. Edmonton: Alberta Government.

Armand, F., & Dagenais, D. (2012). S'ouvrir à la langue de l'autre et à la diversité linguistique [Becoming aware of others' languages and of linguistic diversity]. *Education Canada,* 52(1). Retrieved from http://www.cea-ace.ca/education-canada/article/s'ouvrir-à-la-langue-del'autre-et-à-la-diversité-linguistique

Armand, F., Sirois, F., & Ababou, F. (2008). Entrée dans l'écrit en contexte plurilingue et défavorisé: Développer les capacités métaphonologiques et sensibiliser à la diversité linguistique. *Canadian Modern Language Review*, 65(1), 61-87.

Chow, P., & Cummins, J. (2003). Valuing multilingual and multicultural approaches to learning. In S. R. Schecter & J. Cummins (Eds.), *Multilingual education in practice: Using diversity as a resource* (pp. 32–61). Portsmouth, NH: Heinemann.

Chumak-Horbatsch, R. (2012). *Linguistically appropriate practice: A guide for working with young immigrant children*. Toronto: University of Toronto Press.

Chumak-Horbatsch, R. (2019). *Using linguistically appropriate practice: A guide for teaching in multilingual classrooms*. Bristol, UK: Multilingual Matters.

Cummins, J. (2014). To what extent are Canadian second language policies evidence-based? Reflections on the intersections of research and policy. *Frontiers in Psychology*, 5, 1-10. Article 358. Retrieved from http://journal.frontiersin.org/article/10.3389/fpsyg.2014.00358

Cummins, J., Bismilla, V., Chow, P., Cohen, S., Giampapa, F., Leoni, L., Sandhu, P., & Sastri, P. (2005). Affirming identity in multilingual classrooms. *Educational Leadership*, 63(1), 38-43.

Cummins, J., Chen-Bumgardner, B. X., Al-Alawi, M., El-fiki, H., Pasquerella, A., Luo, Y., Li, J. (2011, January). *Evaluation of the Greater Essex County District School Board English/Arabic Bilingual Language Transition Program at Begley Public School.* Final Report submitted to the Greater Essex County District School Board.

Cummins, J., & Early, M. (Eds.). (2011). *Identity texts: The collaborative creation of power in multilingual schools*. Stoke-on-Trent, England: Trentham Books.

Cummins, J., & Persad, R. (2014). Teaching through a multilingual lens: The evolution of EAL policy and practice in Canada. *Education Matters*, 2(1). Retrieved from http://em.synergiesprairies.ca/index.php/em/issue/view/7

Dagenais, D., Toohey, K., Bennett Fox, A., & Singh, A. (2017). Multilingual and multimodal composition at school: ScribJab in action. *Language and Education*, 31(3), 263-282.

Gervais, L-M. (2012, 4 January) L'école 100 % Francophone, un Raccourci Dangereux? *Le Devoir.* Accessible online at http://www.ledevoir.com/societe/education/339523/l-ecole-100-francophone-un-raccourci-dangereux.

Giampapa, F. (2010). Multiliteracies, pedagogy and identities: teacher and student voices from a Toronto

Elementary School. *Canadian Journal of Education,* 33(2), 407-431.

Koh, P. W., Xi Chen, X., Cummins, J., & Li, J. (2017). Literacy outcomes of a Chinese-English bilingual program in Ontario. *Canadian Modern Language Review*, 73(3), 343–367. doi:10.3138/cmlr.3665

Lam, K., Chen, X., & Cummins, J. (2015). To gain or to lose: Students' English and Chinese literacy achievement in a Mandarin language bilingual program. *Canadian Journal of Applied Linguistics*, 18, 96-124.

Lotherington, H. (2011). *Pedagogy of multiliteracies: Rewriting Goldilocks*. New York: Routledge.

Lotherington, H., & Paige, C. (Eds.) (2017). *Teaching young learners in a superdiverse world: Multimodal approaches and perspectives*. New York: Routledge.

Marshall, E., & Toohey, K. (2010). Representing family: Community funds of knowledge, bilingualism, and multimodality. *Harvard Educational Review*, 80(2), 221-241.

Naqvi, R., Thorne, K., Pfitscher, C., Nordstokke, D., & McKeough A. (2012). Reading dual language books: Improving early literacy skills in linguistically diverse classrooms, *Journal of Early Childhood Research*. Published online 12 October 2012, doi:0.1177/1476718X12449453

New London Group (1996). A pedagogy of multiliteracies: Designing social futures. *Harvard Educational Review*, 66, 60-92.

Ntelioglou, B. Y., Fannin, J., Montanera, M., & Cummins, J. (2014). A multilingual and multimodal approach to literacy teaching and learning in urban education: a collaborative inquiry project in an inner city elementary school. *Frontiers in Psychology*, 5, 1-10. Article 533. Retrieved from www.frontiersin.org. (doi: 10.3389/fpsyg.2014.00533).

Prasad, G. (2016). Beyond the mirror towards a plurilingual prism: Exploring the creation of plurilingual "identity texts" in English and French classrooms in Toronto and Montpellier. *Intercultural Education*, 26(6), 497-514. Special Issue ed. A. Gagné & C. Schmidt. http://dx.doi.org/10.1080/14675986.2015.1109775

Royal Commission on Learning. (1994). *For the Love of Learning. Volume II. Learning: Our Vision for Schools*. Toronto: Queen's Printer for Ontario.

Sampson, S. (2019, June 5). Filipino bilingual program in Seven Oaks division on pause due to low enrolment. *CBC News*. Retrieved from https://www.cbc.ca/news/canada/manitoba/filipino-bilingual-program-winnipeg-seven-oaks-1.5162427

Stille, S., & Prasad, G. (2015). "Imaginings": Reflections on plurilingual students' creative multimodal works. *TESOL Quarterly*, 49(3), 608-621.

Roessingh, H. (2011). Family Treasures: A dual language book project for negotiating language, literacy culture and identity. *Canadian Modern Language Review*, 67(1), 123-148.

Schecter, S., & Cummins, J. (2003). *Multilingual education in practice: Using diversity as a resource*. Portsmouth, NH: Heinemann.

Van Viegen Stille, S., Bethke, R. Bradley-Brown, J., Giberson, J., & Hall, G. (2016). Broadening educational practice to include translanguaging: An outcome of educator inquiry into multilingual students' learning needs. *The Canadian Modern Language Review*, 72(4), 480-503.

# カナダ・オンタリオ州の「継承日本語教育」その後

中島 和子

今回の新装版で新しく加わったカミンズ教授の補章（pp.181-197）は、カナダの継承語教育全体の動向を扱ったものであるが、本稿ではオンタリオ州を中心に、1990年以降の継承日本語教育の推移を辿る。オンタリオ州は移民児童生徒が最も多く、継承語教育が最も盛んな州である。にもかかわらず、継承語を１言語とする「継承語バイリンガルプログラム」が法律で禁止され、継承語が学校教育の周縁に追いやられている典型的な例である。

オンタリオ州で継承語（heritage language）教育が国際語（International Languages）教育に組み込まれてその名称が変わったのは1993年である。オンタリオ州[(1)]で始まったこの動きは、アルバータ州、ブリティッシュコロンビア州、ケベック州など移住者の多い州へと広まっていった。しかし、継承語という概念や用語がカナダから消えてしまったわけではない。変わったのは公教育のなかの継承語教育であり、コミュニティ主導のいわゆる巷の「日本語学校」などはほとんどその影響を受けていない。本稿では、**A：公教育のなかの「国際語としての日本語教育」**と、**B：コミュニティベースの「継承語としての日本語教育」**、更に、日本独自の**C：「補習授業校という形の母語・継承語教育」**の三つに分けて、カナダの過去30年間の年少者の継承日本語教育の推移を追うことにする。

## A：公教育のなかの「国際語としての日本語教育」

国際語教育とは、一言で言えば日本の「外国語教育」のことである。日本で外国語と言えば主に英語であるが、カナダでは移民が持ち込んだ移住者言語であるため、対象となる言語の数が驚くほど多い。オンタリオ州のトロント地区教育委員会（GTDB）の場合、初等部（幼～中２）ほぼ50言語、高等部（中３～高３）74言語がその対象になる。名称が「国際語」に移行する前は、高等部ではフランス語以外の外国語の学習は「現代語教育」（Modern Languages）と呼ばれており、初等部の継承語教育とは関係が全くなかった。しかし「国際語」へ移行した後は、幼児から高校生まで「国際語」が継続して学習できる体制が整っている。しかし、州の各地で全ての言語が学べるわけではなく、地域の教育委員会が地域のニーズに基づいて、実際にどの言語を教えるかを決めるというシステムである。

オンタリオ州の国際語プログラムは、受講生が22～25人以上[2]集まる可能性のある言語を選んで開講する。例えば、2019～2020年度のトロント地区教育委員会の募集要項によると、初等部はアラビア語、アルメニア語、広東語、ギリシャ語、韓国語、中国語（簡体字）、ルーマニア語、スペイン語、タミル語の10言語、トロント近郊のPeel地区の高等部の開講予定の言語は、パンジャブ語、タミル語、中国語、アラビア語、など13言語である。いずれも地区で話者人口の多い言語である。ちなみに、どのぐらいの子どもが国際語を学ぶかというと、トロント地区教育委員会の2015年度の推計によると、初等部のプログラム参加児童の数だけでも３万人を超えたという。

国際語プログラムを統括するのが、初等部も高等部も教育委員会のなかの「生涯教育課」（Continuing Studies）であることは注目に値する。もちろんそれにはプラス面とマイナス面がある。最も大きなプラス面は、教員免許保持者以外でも国際語教員が採用できることである。移住者が持ち込む言語が話せて読み書きまでできる継承語教師の養成は極めて難しく、また移住者が州の教員免許を取得するには言葉などで大きな壁がある。第二のプラス面は、複数の学校から生徒を集めてセンター方式で開講できるため、より多くの言語の国際語コースが提供できることである。そして第三は、添付資料表1に示すように、放課後や週末など受講時間の選択肢を増やすことによって、より多くの児童生徒にプログラムが提供できることである。一方マイナス面もある。それは、生涯教育課の管轄であるため、成人も授業に加わり、ますます受講者の多様性が増すことである。学年別に編成される日本の学校の英語教育と大きく異なり、「国際語」の生徒は、外国語として学ぶ者、継承語として学ぶ者、カナダに来たばかりの母語話者なども混入しており、言語レベルや年齢の面で実にばらばらであり、超混合クラスになっている。

授業時間は、初等部は週2.5時間、高等部は週約3.5時間であるが、その時間帯は実に多種多様である。添付資料の表1が初等部、表2が高等部の国際語クラスである。いずれも生徒の負担は教材費のみで授業料無償であり、高等部の国際語クラスの場合は高校の単位が認可される。

### 初等部の国際語クラスの諸形態六つ

①統合・授業時間延長プログラム（Integrated Extended Day Program）

通常の学校の授業時間を30分延長して、国際語の授業をカリキュラムのなかに埋め込む方式である。中国系の子どもが多い地域では中国語を、パンジャブ語話者の多い地域ではパンジャブ語をと、地域に密集している言語グループの言語を優先的に学校の授業の一部として教える。昨年度は10校で6言語のプログラムが開かれた。日本人が集住して住む地域がオンタリオ州にはないため日本語の統合・授業時間延長プログラムはない。この形態の利点は、国際語が他の教科と同じステータスになって継承語の価値の吊り上げになり、子どもが算数や理科・社会と同じように継承語は大事な教科の一つという認識が持てることである。

②放課後プログラム（After-School Program）

放課後であるため、開催校だけでなく近隣の学校の児童生徒も参加するセンター方式が可能になる。時間帯はまちまちである。オンタリオ州全体では、昨年度開催校が423校で、言語数は43言語、このなかの5校が日本語クラスであった。

③週末プログラム（Weekend Program）

言語コミュニティの要望で、23名以上の生徒が集まれば、土曜日の午前2.5時間、国際語プログラムが開かれる。2018～2019年度は、オンタリオ州では、放課後と週末プログラムとを合わせて44言語の国際語が開かれており、そのなかに日本語のプログラムが３校あった。受講者が多ければ、学年別、年齢別、言語能力別クラス編成がある程度可能になる。

④夕方・夜間プログラム（Late-Afternoon and Evening Program）

通常の学校の授業が終わった後、夕方開かれるもの。このため成人クラスとの併設が可能になり、親子で国際語クラスに参加することもできる。児童生徒は週１回であるが、成人は週３回である。

⑤授業前プログラム・ランチプログラム（Before-School and Lunchtime Program）

主に幼児のためのプログラムで、授業が始まる前の30分を使って国際語を教えるもの。バス通学や部活のために通常の国際語クラスに出席できない子どものために、このプログラムが使われることもある。

⑥夏休みのプログラム（Summer School Program）

国際語クラスは1日2.5時間であるが、夏休みのプログラムでは言語コミュニティの協力を得て文化行事やリクリエーションと組み合わせて１日のプログラムとすることができる。午後のプログラムは有料。首都オタワ・カールトン教育委員会にこの日本語プログラムが一つある。受講者も多いため、年齢別、能力別クラスの編成が可能になり、内容面で教師の満足度は最も高いと言われる。

## 高等部の国際語クラス

高等部の国際語教育は、ラテン語やギリシャ語の古典語と組み合わせて「古典語と国際語」（Classical languages and international languages）と呼ばれる。学校の授業時間内で教える従来の「国際語クラス」（＝昔の現代語クラス）に加えて、初等部のように放課後や週末のプログラムもある。地域によって僅差はあるが、学校内の国際語クラスは週３回、週末は週１回、１回3.5時間であり、初等部より１時間ほど長い。週末クラスも含めて、いずれも高校の単位として認可される。高等部の学校内国際語の日本語クラスはトロント地区に２校、近隣地区に４校、そして放課後・週末国際語の日本語クラスは、トロント地区３校、近隣地区６校で開かれている。

## 国際語クラスの指導原理

外国語としての現代語が国際語となり、それに継承語も合流したために、「国際語としての日本語クラス」の実態が大きく変わり、「外国語としての日本語教育（JFL）」と「継承語としての日本語教育（JHL）」の振り分けがなくなって実際の授業には、JFL と JHL の学習者が混在する状況になっている。さらに国際語教育が生涯教育課の管轄であるために、成人学習者も授業に加わり、かつカナダに来たばかりの母語話者レベルの学習者、つまり JNL（Japanese as a native language）学習者も加わる可能性がある。JHL は、かつてオンタリオ州の「継承語カリキュラムガイドライン」（1989）（p.171）が示したように、もともとマルチエイジ、マルチレベル教授法（multi-age, multi-level language teaching）が必要であり、年齢、生育過程、継承語の力、学習目的、学習動機が多種多様であることを踏まえた授業の構築を目指したものであった（中島・鈴木 1997）。その状況は1990年以降になっても変わりはない。例えば、高校の単位となる、つまりクレジットクラスである高校国際語クラスを、オンタリオ州ウォータルー地区教育委員会の勧めで土曜日に開講したときの状況を、指導に当たった高橋和比古氏が、次のように述べている。

今年〔1996年〕は10年生と11年生の二つのコースを開催、両方合わせて30数人の生徒でスタートした。10年生のコースを終えて上がってきた高校生のほか、大学生、成人もいるし、日系の子どももいる。正規にはクレジット・コースには入れない年齢の子どももいる。10年生のコースには親子で通ってくる場合もある。…（中略）…噂では「土曜日のクレジット・コースは費用がかかりすぎるので取り止め」になる可能性もあり、高校までの日本語教育をこの地で「絶滅」させないためには正規のコースに格上げをする必要があると考えている。しかしそのためには、日本語を教えられる教員免許を持った先生が必要である。しかし今のところそのような人は見当たらないし、期待もできない状況である。（高橋 1997, p.38）

国際語の高校日本語クラスを始めてはみたものの、常識を超えるほどの異なるニーズを持つ学習者を目前にして、途方にくれる指導者の困惑が伝わってくる。これは決して例外ではない。将来への不安とともに、週日の常設クラスとの格差など、週末クラスの現場の課題が浮き彫りにされた教師の生の声である。

国際語教育のカリキュラム・ガイドラインは、以上のような混合クラスの課題にどう対応しているのであろうか。州の初等部のリソースガイドである「International Languages Elementary（ILE）Program 2012」(3)にも、また高等部の国際語レベル1/2のリソースガイドにも「区別化指導」（differentiated Instruction）(4)が取り上げられている。学習者の年齢、背景、言語能力、学習目的、ニーズによってどう指導ストラテジーを柔軟に教師が調整するかという課題である。日本語の訳として「区別化」と訳されているが（例：ダグラス 2019)、実は様々なグループ分けの方法を駆使して、学習者それぞれが持つ特徴を最大限に引き出すというような前向きの指導法である。もちろん「区別化指導」指導に加えて、高等部のリソースガイド「Classical Study and International Languages 2016」には、24の指導アプローチ(5)がアルファベット順に列記されており、それには外国語教育、ESL、第二言語習得、イマージョン教育などで、これまで開発されてきた様々な指導法が列記されている。

国際語教育の指導アプローチの一般的傾向としてまず第一に言えることは、言語構造や言語事項だけを取り立てて教えるのではなく、教科学習の内容と統合した形で国際語を教えることの重要性であろう。例えば、環境問題、人種差別、文学作品、地理、歴史などとの組み合わせで、思考力を育てながら話し言葉・書き言葉の両方を駆使しつつ、国際語の言語能力も高めるというアプローチで、具体的にすぐに教室で使えそうな教材がリソースとして用意されている。なかでもフィナンシャル・リテラシー（financial literacy）と国際語を結びつけた補助教材「国際語におけるフィナンシャル・リテラシー：教室の授業のためのサンプルタスク」（Financial Literacy in International Languages: Sample Tasks for the Classroom, 2017）（ILEA[(6)], 2017）では、金銭に関する問題を子どもの生活に密着した形で様々な教室活動を提示している。そしてサンプルタスクが、英語・仏語・ドイツ語・スペイン語だけでなく、表記法が異なるアラビア語・中国語（簡体字）でも提示されている。日本の文化では金銭に関するテーマを避ける傾向があるが、お金の数え方、貯金、買い物、銀行口座、そして長じてはグループで起業計画を立てるなど、カナダに移住した児童生徒にとっては身近な問題であり、具体化しやすいテーマの一つと言える。

第二の指導上の特徴は、グループ活動、ペア活動、ディスカッション、プレゼンテーション、プロジェクト・ベースの学習が強調されていることである。これは、カミンズの補章の添付資料に掲げられている「マルチリンガル指導イニシャティブ」とも関連するが、残念なことに国際語教育のガイドラインには、まだ「マルチリンガル・レンズ指導」は明記されていない。しかしながら、新しいテクノロジーを駆使して継承語に対する誇りやアイデンティティを育てるというカナダ特有の「アイデンティティ・テキスト」などは、継承語教育の価値づけに繋がるものであり、大いに活用されるべきであろう。

## 国際語への移行のプラス面とマイナス面――30年を振り返って

継承語教育が「国際語教育」という大きな傘のもとに入ることにより、どんなプラスがあり、また現在どのようなマイナスがあるのだろうか。継承語という社会のマイノリティ言語が、マジョリティ言語である国際語の一部に加わったことが、実際に継承語教育にどのような影響を与えたのであろうか。まず利点の第一は、親や子どもが希望すれば、幼児から高校まで継承語を継続して学べる体制ができたことである。もともとオンタリオ州では、継承語教育は幼児からG8（中２）までのプログラムで、高校の現代語教育がG10（高２）から始まるため、G9（高１）がギャップイヤーとなって学習が中断されていたのである。言語学習には継続が必要不可欠であることから、この問題が解消されて学習を継続できるようになったことは、大きなプラスと言える。利点の第二は、生涯教育部の管轄下に初等部・高等部の国際語プログラムを置くことによって、学べる言語の数が増え、また学ぶ機会も増えたことである。継承日本語の場合も同じである。そして利点の第三は、財政逼迫状況になると真っ先に支援が切られるのがマイノリティ言語の宿命であるが、国際語教育というマジョリティ側の制度に組み込まれたがゆえに、継承語の学習の存続・継続が可能になっていることである。

しかしながら、大きなマイナス面もある。それは、国際語教育が放課後、週末、夏休みなど、学校教育の正道から周辺にほぼ完全に追いやられてしまったことである。カミンズの補章に強調されているように、アルバータ州など中西部に見られるような高度のリテラシーを育てる、継承語と公用語の組み合わせのバイリンガルプログラムの実現はならず、オンタリオ州の教育法（Ontario Education Act, 1990）によって移行的バイリンガル教育のみという状況が続いている。要するに、継承語教育の質の問題である。幼児から高校、ひいては成人まで、国際語学習の機会が与えられて、様々な言語を伸ばせる体制にはなったとはいえ、それが功を奏してカナダの言語資源になるような、国際語と継承語の高度のリテラシーが育つプログラムかというと、それは大いに疑問である。この継承語教育の質の問題こそが、オンタリオ州の古くて新しい課題と言える。

## B：コミュニティベースの「継承語としての日本語教育」の現状

国際交流基金の調査結果（2017）によると、カナダ全体の大学における日本語学習者の数はほぼ同じレベルを保っているが、中等教育レベルの学習者は下降傾向にあるという。ブリティッシュコロンビア州では2000人以上減少したという（国際交流基金 2017, p.31）。これは北米では一般的な傾向であると思われる。一方カナダにおける邦人の数は、わずかではあるが上昇傾向にある。カナダ全体では、外務省海外在留邦人数調査統計によると、2000年に邦人永住者が31万578人（前年度より2.7%増)、長期滞在者が70万1969人（6.5%増）であったのに対して、2018年になると、邦人永住者が48万4150人（3.4%増)、長期滞在者が86万7820人（0.26%減）という状況で、永住者は微増するのに対して長期滞在者が減少する傾向にある。トロントの場合は、トロント新移住者協会30周年誌（2006）によると、2000年にはトロントの邦人永住者が２万456人、長期滞在者が１万3586人であったのに対して、2005年には邦人永住者が２万5443人（前年度より20%増)、長期滞在者が２万471人（44%増）となっている。また数でなく、質の違いがあることも見逃してはならない。1900年代は、両親日本人の家族ぐるみの移住が中心であったが、最近はワーキングホリデービザなどで単身でカナダに来る若者が増え、その結果、国際結婚が増えて幼児期のママ友的な取り組みが急増するという現象が起きている。

では、民間の継承日本語学校、最近の用語で「コミュニティベースの継承語としての日本語教育（JHL)」の現状は、どうであろうか。2000年には、トロント市の年少者の日本語学習機関が九つあった（p.171, 表２)。その後連邦政府の民間の継承日本語学校への援助がなくなり、オンタリオ州の「継承語プログラム」(Heritage Language Program, HLP）に登録すれば支援が得られるという状況になった。支援とは、校舎借用料の（一部）免除、20～25人の幼児から中２までの子どもの場合一人の教師の報酬の支給などである。表２には四つの機関がHLPに属しているが、いずれも諸事情のため、その後「国際語プログラム」として登録するのをやめて、授業料によって運営する日本語学校になっている[(7)]。

視点をトロント市からオンタリオ州に広げると、2019年現在、日本語学習機関の数が27になっている（添付資料表３参照、p.221）。この表[(8)]はトロント地区在住の1431家族が参加するFamily Talks Forum[(9)]という会員制の「妊娠・お産・育児・教育・生活一般に関する電子メール情報交換グループ」が保持しているリストを核にして作成したものである。トロント市の近郊のハミルトン、キッチナー、キングストン、オタワ、ロンドンなど、オンタリオ州各地の主要都市に「日本語学校」が10校あり、その他はデイケア・保育園、プレイグループ、親子教室、ドロップインセンターなど幼児向けの施設である。つまり、幼児期の機関が全体の79%強を占めているところが特徴である。このなかには「池端ナーサリー」[(9)]のように州の認可を得て本格的な日本語環境の幼児教育に取り組んでいる機関もあり、地域のバイリンガル／マルチリンガル育成に貴重な貢献をしている。

「継承日本語学校」に関しては、p.171の表２と比べると、トロント新日系コミュニティの後ろ盾のある「国語教室」「日加学園」「日修学園」の３校が今でも健在である。例えば最も長い歴史を誇る「国語教室」（1976年設立）[(11)]は、180名の児童生徒が通う土曜学校で、幼児から中学生まで10クラスある。国語の教科書を使う日本語の授業に加えて、音楽、書道、さらに学芸会、運動会などの日本の学校行事も行っている。さらにアドバンスクラスを設けて中高生にも対応しようとしている。これら３校は、次に述べる「トロント日本語学校」とともに、長年の功績を称えられて2012年にトロント総領事から表彰状が授与された。

戦前のカナダ移民に支えられて戦後いち早く復活した「トロント日本語学校」（p.171、表２の７）は、年少者の数が年々減少し、現在は成人対象の日本語学校に移行しつつある。また300人もの高校生を擁していた「ノースヨークヘリテッジ日本語学校」（表2の4）は、日本人・日系人の少ない地域に移転したために、現在は成人対象のプログラムに移行している。

## 継承語教育に対する支援

オンタリオ州では、2000年ごろからPLAR（Prior Learning Assessment and Recognition）と呼ばれる「既習言語の評価・単位授与システム」が始まった。コミュニティベースの継承語学習者が申請書を出して日本語テストにパスすれば、在籍高校の校長から高校卒業に必要な高校のG10、G11、G12の国際語の単位が３単位まで取得できるというものである。実際に国際日本語の単位を取得した生徒の人数はわからないが、親と子どもの自助努力で家庭言語を失わずに保持伸張することは、極めて困難であり、その努力を社会的に認知して、親や子に何らかの褒賞を与えることは、極めて重要なことである。

さらに継承日本語教育を支援する教師団体もある。最も古いのは、1974年に発足した「ブリティッシュコロンビア日本語教育振興会（JALTA）」である。国際交流基金の「北米日本語教師会・日本語教育関連学会一覧」（2017）によると、JALTAの会員は継承語教育を行う個人と機関で、現在日本語学校12校が学校会員、50名が個人会員である。次は、1988年にオンタリオ州で発足した全国組織である「カナダ日本語教育振興会（CAJLE）」で、会員（約150名）はカナダばかりでなく米国、日本、その他の国に及んでいる。1997年から紀要『ジャーナルCAJLE』を発刊している。1995年には、アルバータ州に「南アルバータ日本語教師会」（Southern Alberta Japanese Teachers' Association）が発足、カルガリー、レスブリッジ地区の継承語教育機関からなる約30名ほどの教師団体である。

継承語日本語教育ではなく、継承語教育一般の教師会としては、アルバータ州エドモントンのThe International and Heritage Languages Association（1977年設立）、同州カルガリーのSouthern Alberta Heritage

Language Association（SAHLA）、そしてサスカチュワン州のSaskatchewan Organization for Languages（1985年設立）がある。このような団体には州政府から支援があったが現在は不明である。オンタリオ州には、International Languages Educators' Association（ILEA）of Ontarioがあり、ILEAは*Accents on Language*というニュースレターを発刊している。さらに最近は、CAAL（Canadian Association of Applied Linguistics）、CLA（Canadian Languages Association）、ERGO（ESL Resource Group of Ontario）などカナダの言語関係の学会で、継承語教育の問題が取り上げられることが多くなっている。

以上はカナダの学会であるが、米国や日本の教師集団や学会がカナダの継承語教育にも影響を与えている。「米国日本語教師会」（American Association of Teachers of Japanese, AATJ）の支部である「継承語としての日本語」部会（Japanese as a Heritage Language Special Interest Group, JHLSIG）(12) である。次に2003年に設立したのが、日本に拠点を置く「母語・継承語・バイリンガル教育学会」（MHB）で、2018年に初めて継承語を扱う「学会」として認可された。MHBは、2012年に支部会を設けることになって「海外継承日本語部会」(13) が誕生、現在300名以上の部会メンバーの間で、グループメールを通して盛んな交流が行われている。さらに2015年に誕生したのが「バイリンガル・マルチリンガル子どもネット」（The Bilingual/Multilingual Child Net, BMCN）(14) で、日本に事務局を置きながら国内・海外の両方の子どもの複数言語の同時発達を扱う研究会である。「BMCN子ども相談室」(15) を設けて、ダブルリミテッド問題も含め、同時言語発達にまつわる教員や保護者の様々な疑問にも対応している。

過去30年間を振り返って、最も継承語教育に大きなインパクトがあった時代はいつかと問われれば、1977年に連邦政府のカナダ多文化局が「多文化促進プログラム」を発足して州政府と共に、民間の継承語プログラムに対して様々な支援を行った時代と言えよう。継承日本語教育でもブリティッシュコロンビア州日本語教育振興会が開発した継承語教育用教科書

『にほんご／日本語』（横山 1997）全７巻の出版費の半分は連邦政府の支援によるものであるし、カナダ日本語教育振興会（CAJLE）が発足できたのも、その設立に先駆けて何度か、夏期現職日本語教師研修会が開催できたこと、さらに『継承語としての日本語教育――カナダの経験を踏まえて』（中島・鈴木 1998）が出版できたことも連邦政府の支援によるものである。また当時は州政府の支援もあり、年少者継承語話者のための『子どもの会話力の見方と評価』（カナダ日本語教育振興会 2000）の出版はトロント地区教育委員会の支援によるものである。

連邦政府の援助が1988/1989年度に打ち切られ、押し寄せる州政府の予算削減下で継承語教育が揺れるなか、1994年に「カナダにおける小・中学生の日本語教育」というタイトルでカナダ各地の代表によるパネルディスカッションが行われた。前述のカナダ日本語教育振興会の夏期現職日本語教師研修会の一部である。その記録が『継承語としての日本語教育――カナダの経験を踏まえて』（中島・鈴木 1998, pp.23-30）に詳しく記載されている。その付表「日本語学校・プログラム一覧」（同上、pp.27-30）を見ると、当時継承日本語教育機関がブリティッシュコロンビア州に30、アルバータ州３、サスカチュワン州２、マニトバ州１、オンタリオ州13校、ケベック州１で全国に40あり、学習者概数が1500名となっている。このような継承日本語プログラムがどのような支援を得て存立しているかという観点から改めて鳥瞰すると、支援団体が州または市の教育委員会が10、父母団体・維持会が８、日本の国際協力機構（JICA）が６、移住者協会２、国際交流基金１である。例えば、前述の「トロント国語教室」は、父母団体、新移住者協会、トロント教育委員会、JICA から支援を得ながら、授業料も徴収して運営するという状況である。このように複数の支援を受けながらなんとか生き延びているのが実情である。継承語プログラムが長きにわたって地元に貢献するには、行政の支援に加えて、父母会、維持会、新移住者協会、商工会のような地域コミュニティの団体の支えが欠かせないことが明らかである。

## C：バイリテラシーを育てる大規模「補習授業校」(16) の存在価値

「コミュニティベースの日本語学校」が対象とするのは、言語形成期の幼児から中２までであるが、「トロント補習授業校」は幼児から高校生までを対象とする。継承日本語学校と同じように通常週末か放課後に開かれる教育機関であるが、質的に異なる点が二つある。一つは文科省・外務省を通して日本政府からの支援があること、もう一つは、中心的な指導アプローチが「母語としての日本語教育」(Japanese as a Native Language, JNL) であることである。言語習得そのものが目的ではなく、教科学習の過程で、媒介語として日本語を使用するという立場である。2003年には、補習授業校（p.171、表２、６）の在籍数が250名であったが、現在幼稚部75名、小学部364名、中学部108名、高等部が47名で、合計600名近くである。カナダには付録資料表４のように四つの州に９校ある (17)（海外子女教育財団 2019)。

授業時は週末か放課後であるが、その時間帯はまちまちで、ほぼ１日のところが５校、半日が４校である。時間数が多ければそれだけ教える教科の数も増えるわけで、「国語」のみ、「国語・算数」、「国語・算数・理科・社会＋生活科」（小1/2は理科・社会の代わりに生活科）とまちまちである。カナダでは高等部があるのは２校のみで、その教科は「国語」「数学」「小論文」が一般的である。日本からの援助は、まず無償で日本の標準教科書が配布されること、校舎借用料の一部と教員の給料の一部が支払われること、さらに在籍人数が100人を超えると校長、500人を超えると校長と教頭が日本から派遣される。いずれも教員経験のある、いわゆる教育のプロである。トロント補習校には校長と教頭が、バンクーバー補習校には校長がほぼ３年間ごとに交代で派遣されている。

バイリンガル育成の立場から補習校教育を見ると、月曜から金曜まで現地校で英語か仏語、あるいはフレンチイマージョンの場合は英・仏両言語で受ける学校教育との組み合わせで、結果として日・英バイリンガル、あるいは日・英・仏のトライリンガルが育つ。さらに北米文化の現地校と日本の学校文化の補習校に同時に通い、二つの異なった学校文化を体験することによってバイカルチュラルが育つ。さらに補習校は高校まであるので、幼児から高３まで14/15年間通うことによって話し言葉だけでなく書き言葉も育ち、日本語でもまた英語でも、高度のディスカッションや意見文の発表などの機会が与えられることによって、高度のバイリテラシーも育つ点は大事なポイントである。

通常のカナダのバイリンガル教育は、学校内に組み込まれた二言語プログラムである。ところが、補習校は学校外のプログラムとの組み合わせによる二言語育成である。しかも「日本語プログラム」は全員が参加する一つのプログラムであるが、もう一方の現地校は、児童生徒の居住地域によってそれぞれ異なるという状況である。このような「校外バイリンガル教育」によって、どのぐらいのバイリンガル、バイリテラシー、バイカルチュラルが育つのであろうか。次に「校外バイリンガルプログラム」の特徴を３点あげ、その有効性を検証したトロント補習校における調査研究の成果について述べる。

## 補習授業校の利点

補習授業校の第一の利点は、学習目標が日本語の習得ではなく、日本語の教科学習言語能力（Academic Language Proficiency, ALP）[18]の獲得を目標とするところである。現地校でカナダの公用語を使って教科学習を通して英語のALPを獲得すると同時に、週末補習校で日本語を用いて年齢相応の教科学習を通して日本語のALPを獲得する。これは、ちょうど英語と日本語のイマージョンプログラムの目標と同じで、二つの言語を使った教科学習を通して、一つの学力を獲得し、結果として高度の英語力、日本語力が身につくというものである。ただイマージョンプログラムの場合は同じ学校内のイマージョン教育であるのに対して、補習校は「校外イマージョン教育」である。目標は同じでも、二つの言語を使用する場が同じ学校内か校外かということで、習得度はどのように違うのであろうか。コミュニティベースの「継承語日本語学校」の授業時間が2.5時間であるのに対して、大規模補習校は授業時間がほぼ一日（9:00-15:15）であること、さらに「継承語日本語学校」は幼～中２までであるため、ALPが十分に伸びるところまで行かないという点で大きく異なる。

第二の利点は、「校外イマージョン」であるからこそ、バイカルチュラルな人間が育つという点である。特に日本語と英語のように、行動パターン、考え方、感じ方などが大きく異なる二言語の場合には「校外イマージョン」の方がバイカルチュラルな人間が育つ点で有利である。大規模補習授業校は、教師が日本語を100％使用して、日本の検定教科書を用いて４教科を教えるところが多く、学年編成、カリキュラム構成、評価システム、入学式・卒業式・運動会・学芸会などの定番の学校行事が入る。バイカルチュラルとは、このような二つの学校の異文化体験の上に育つものである。「校内イマージョン」では、現地文化の影響を受けて、言語だけは変わっていても、期待される特異な行動パターンや生活態度が育ちにくい。つまり、校外イマージョンプログラムであることこそが、バイカルチュラルがより育ちやすい環境であると言える。

第三の利点はプログラムの検証が可能なことである。コミュニティベースの継承日本語の場合は小規模な営みが多いことから、プログラムの検証が極めて難しい。カミンズ教授の補章でも、移行型バイリンガルプログラムの検証はあっても、国際語教育そのものの検証は含まれていない。一方補習授業校は、在籍人数がはるかに多いため、1960年代から多くの研究の場となってきた。トロント補習授業校でも小学２年生と５年生を対象に、会話力・読解力における「第一言語と第二言語習得との関係について」という研究を行い、日本人の子どもが海外でゼロから英語を学んで、現地校で英語を使って教科学習をする上で、英語の会話力は、性格を媒介にして日本の会話力と関係があり、文法的な正確度は滞在年数との関係が最も密で、時間をかけて育つ面であり、読解力は日本語の読解力と最も相関が高いという結果が得られた（Cummins et al., 1984; カミンズ・中島 1985）。2009年に再度ALPのなかで最も時間のかかる作文力について、トロント補習校小・中学生全生徒を対象に以下のような調査を行った。

## トロント補習授業校における日英作文調査――相互依存説の検証（中島・佐野 2010）

英語の作文力と日本語の作文力は関係なく伸びるのか、それとも両言語の作文力の伸びには何らかの関係があるのだろうか。トロント補習授業校の小１から中３までの336名[19]を対象に、「カナダのことを知らない人にカナダについて説明をする」というテーマで、教室で書いた日本語作文と英語作文を分析して両者の関係を調べた。時間は各40分で、まず日本語で書き、翌週英語で書いた。日本語と英語のように文法構造、表記法、思考パターンなどが大きく異なる二言語でも、カミンズ教授が提唱する「二言語相互依存説」（Cummins 他 , 1984; カミンズ・中島 1985）[20]のような関係が見られるかを調べるためである。結果、相互依存的関係が顕著に見られたのは、「作文の長さ」（日本語で長い作文が書ける子どもは英語でも長い作文を書く傾向がある）、「語彙の多様性」（異なり語彙を使って日本語作文が書ける子は英作文でもその傾向がある）、そして「構文の複雑さ」（日本語で複文を使って作文を書く子は、英語でも複雑な構文の文を書く傾向がある）に中度の相関関係があった。また「表記上の誤用」でも弱度の有意相関が見られた。その他、時間の配分、書字・表記の丁寧さ、段落構成の有無、文章構成（イントロや結語の有無など）、トランスランゲージング（translanguaging）などの作文ストラテジーでも、両言語で共有されていることが分かった。

次にALPが発達するG6－中３（82名）を取り出して、さらに日本語と英語との関係を分析したところ、三つの滞在年数グループで異なる結果が得られた。滞在２年以内の**短期グループ**は、日本語作文力が高い子どもは英語作文力の習得度も高いという強い相関関係が見られた（r=.650, p<.001 n=30）。滞在期間が３～７年の**中期グループ**は、ほとんど全員英語も日本

語も標準値を超え、バイリンガル作文力が最も高いグループであった。現地生まれ／5歳までに来加した**長期滞在グループ**は、英作文と日本語作文力の格差が大きく、英作文の力は全員が標準値を超えるのに対して、日本語作文力の方は、半数以上が標準値以下であった。強い英語作文力を軸にして日本語作文力を高めるためには補習校の指導方針を変える必要があろう。以上の結果から、日本語作文力の基礎の上に英語作文力が加わった場合、最も高度な両言語の作文力が伸びることがわかった。

カミンズは、英語・日本語のように二言語の差が大きい場合の転移について、次のように述べている。

> スペイン語と英語のように、インド・ヨーロッパ系言語間の転移は、言語的要素と概念的要素の転移があるが、例えば日本語と英語のように言語差が大きい二言語の場合は、主に概念的要素の転移と学習ストラテジーのような認知面の転移が中心になる。(Cummins et al., 1984: 4)

特にL1がマイノリティ言語である継承語でL2が社会の主要・マジョリティ言語である場合は、接触量が少なく、自然に任せておけば弱まってしまう言語（L1）でALPを育てることは、L1を強めるばかりでなく、L2も強めることになる。高度の継承語リテラシーを伸ばすことの意義はここにあるのではなかろうか。コミュニティベースの継承語プログラムからも、また学校教育のなかの国際語プログラムからも、高度のALPが望めない状況のなかで、補習授業校教育は、日本に資するバイリンガル・バイカルチュラル人材育成において、その存在意義が新たに評価されるべきであろう。

## 今後の課題 ――「日本語教育推進法」と継承日本語教育

Paulston（1980）は、「国を超えて移住した子どもの母語がどの程度保持できるかは、ホスト国の受け入れ政策とホーム国の支援による」と言っている。この点からホスト国であるカナダの支援、ホーム国である日本の支援を見ると、カナダには、公用語法（1969）とカナダ多文化主義法（1988）で カナダで育つ子どもの母語・母文化の保持・伸張の権利が守られており、イマージョン教育がないことから高度のALPは望めないが、当事者である親や子どもが望むならば、継承語の基礎の習得には役立つプログラムは用意されている。しかしながら、ALPの育成という点では、オンタリオ州の国際語教育も民間の継承語教育も不十分であり、日本の支援を受けている補習授業校が、海外で唯一の高度の日本語ALP育成機関といっても過言ではないであろう。

ここで特記すべきことがある。それは、日本で2019年６月に初めて「日本語教育の推進に関する法律」が成立したことである。法案の第３章第２節第19条に、

「海外に在留する邦人の子、海外に移住した邦人の子孫等に対する日本語教育を支援する体制の整備その他の必要な施策を講じるものとする」

と海外における日本語教育の機会の広充について明記されている。この法案のカナダの継承日本語教育に対するインパクトは未知数ではあるが、一年後の2020年６月に定められる予定の基本方針（案）にも「海外に在留する邦人の子等に対する日本語教育」が含まれており、海外の継承日本語教育の実態と当事者の声が反映される機会となっている。

カナダの連邦政府が民間の継承語教育に支援をしていた時代は活気に満ちていた。その活気が国際語に名称が変わったこの30年には見られないという（Bale, 2010）。しかし、見方を変えれば、カミンズの補章で明らかなように、教師が繰り広げる現地校での継承語への気づきや誇り、家庭言語の重要性などにより注目が集まり、バイリンガル・マルチリンガル育成の立場から継承語の重要性を論じたものが逆に多くなったとも言える。日本発の日本語教育推進法の力も借りてカナダにも教師団体や父母団体による継承語の行事や研究が蘇ることを望んでやまない。

### ◆注

(1) トロント地区教育委員会はカナダで最大、北米で最大の組織の一つである（Parekh & Flessa, 2016）。2017/2018年度の統計によると、オンタリオ州には小・中学校が3954校、高校が896校あり、そのなかで学校数582校、児童生徒数24万6000人、生涯教育課のパートタイムの生徒が14万人、そして大学進学率はほぼ80％である。オンタリオ州の教育は、使用言語と宗教的背景で四つの地区に分かれており、2018~2019年度は、州全体の教育委員会が76、英語パブリック地区が38、英語カトリック地区が34、フランス語パブリック地区４、フランス語カトリック地区が８、統一を保ちつつ、それぞれが独自性のある教育を行っている。（http://www.edu.gov.on.ca/eng/elementary.html 2019年11月24日取得）

(2) 1977年にオンタリオ州の継承語教育が始まった段階では、年間80時間、週に2.5時間で、生徒25人に対して一人の教師の給与の援助が州政府から拠出されることになっていたが、最近はクラスの在籍生徒の定数が22人まで下がっているため、生徒22~25人となっている。

(3) https://cesba.com/international-languages-elementary-ile-program-2012-resource-guide（2019年11月23日取得）

(4) オンタリオ州教育省が開発した参考資料や教材をリストしているEduGAINS（http: www.edugains.ca）に算数／数学、歴史、地理・環境、カナダ学など様々な教科での区別化授業の適応例が具体的に提示されている。

(5) 例えば、Anticipation Guide（teacher generated statements/questions)、Arts/Language Integration、Cloze Procedure、Cooperative Learning, Dictogloss、Four Corners Activity（Agree, Disagree, Strongly Agree, Strongly Disagree）、graphic organization など。

(6) ILEAはInternational Languages Educators' Associationの略で、そのURLはhttps://ilea.ca/である。

(7)「国際語プログラム」に登録をせず、授業料を徴収して運営する方針に切り替えた主な理由は、親から継承する日本語を学ぶ児童生徒に効率よく日本語・日本文化を教えるためである。「国際語プログラム」では、外国語として日本語をゼロから学ぶ子どもも広く受け入れる必要があり、一つの教室の中で両者を同時に教えることが難しいからである。

(8) 表３は、Family Talks Forum（FTF）とカナダ日本語教育振興会年次大会発表資料（2013）を参照して作成したものである。

(9) http://nobobycosmic.com/BabyTalks/BTList.htm（2019年6月29日取得）

(10) info@ikebatanursery.com

(11)「トロント国語教室」（中島 2016b, pp.189-191）を参照

(12) jhlsig@gmail.com

(13) https://sites.google.com/site/keishougo/

(14) Kodomo BM <bmkodomonet@gmail.com>

(15) https://sites.google.com/view/bmcn/home?authuser=2

(16) 補習授業校を継承語教育の一つと見なすかどうかは、意見の分かれるところである。狭義には「帰国組」に対して「永住組」のみを継承語学習者と見なすことが多い。本著の初版では補習授業校を「継承語としての日本語教育」と見なして表２の６に加えた。本稿では、同じ立場ではあるが、バイリテラシー育成モデルとして、別途扱うことにした。補習授業校は、もともと帰国予定の邦人児童生徒のための帰国準備教育として始まったものであるが、近年はとみに、帰国予定者よりも定住予定者が在籍生徒の60～70％を占めるようになったため、継承日本語教育機関の一つとして扱う必要が出てきている（中島 2019）。

(17) 世界には補習授業校が219校で、2018～2019年度に補習授業校在籍数はカナダは1310人、北米全体では１万5444人、世界では５万9959人に上る。

(18) カミンズ提唱の言語能力の分析で、昔 BICS に対して CALP と呼ばれていたものである。ALP は CALP に相当し、CF（= Conversational Fluency, 会話の流暢度）が BICS に相当する。提唱者自身が自己修正して、現在は、ALP、CP、DLS（=Discrete Langauge Skills, 弁別的言語スキル）の三つに分類される。

(19) このうち、国際結婚家族は全体の31.7％に及ぶ。

(20) カミンズの相互依存説は1979年に初めて提唱された。その後 Common Underlying Reservoir of Literary Abilities（Genesee et a., 2006: 77）など、同じような説が提唱されている。

# 付録資料

### 表１　オンタリオ州公教育の初等部「国際語教育」としての日本語コース

| | 地域・地区教育委員会 | 開催校 | 授業日 | 開催時間 |
|---|---|---|---|---|
| 初等部 K-G8 | Toronto 地区教育委員会 | Diefenbaker Elementary School | 月曜日 | 16:30-19:00 |
| | Toronto 地区教育委員会 | Montrose Junior Public School | 水曜日 | 15:20-17:50 |
| | Toronto 地区教育委員会 | Norseman Junior Middle School | 火曜日 | 17:30-20:00 |
| | York Region 地区教育委員会 | Unionville High School | 火曜日 | 18:00-20:30 |
| | York Region 地区教育委員会 | Thornlee Secondary School | 土曜日 | 9:00-12:00 |
| | York Region 地区教育委員会 | Huron Heights Secondary School | 水曜日 | 18:00-20:30 |
| | Ottawa Carleton District School Board | Hopewell Avenue Public School | 土曜日 | 9:00-12:00 |
| | | Hopewell Avenue Public School | 夏休み | 9:00-12:00 |
| | | 午後 Tomodachi Japanese Camp（２週間、自由参加、＄216/週） | | 13:00-16:00 |
| | Waterloo 地区カトリック教育委員会 | St. Louise Adult Learning and Continuing Education Centres | 土曜日 | 9:00-11:30 |
| | London 地区カトリック教育委員会 | ロンドンの森のまち日本語学校 | 土曜日 | 9:00-12:00 |

### 表２　オンタリオ州公教育の高等部「国際語教育」としての日本語コース

| | 在籍高校のカリキュラムの中の日本語コース | | | |
|---|---|---|---|---|
| 高等部 G9-G12 | Toronto 地区教育委員会 | A.Y. Jackson Secondary School | 週日 | |
| | Toronto 地区教育委員会 | Earl Haig Secondary School | 週日 | |
| | Lindsay 地区教育委員会 | I E Weldon Secondary School | 週日 | |
| | Ottawa Carleton District School Board | Gloucester High School | 週日 | |
| | Upper Grand District School Board | Centennial Collegiate Vocational Institute | 週日 | |
| | Independent School | Hillfield Strathallan College | 週日 | |
| | 高校の単位となる国際語としての日本語コース | | | |
| | Toronto | Georges Vanier Night School | 土曜日 | 9:00-12:00 |
| | Toronto | Northview Heights Night School | 土曜日 | 9:00-12:00 |
| | Toronto Catholic District School Board | Senator O'Connor College School | 土曜日 | 9:00-12:00 |
| | York Region 地区教育委員会 | Huron Heights Secondary School | 水曜日 | 17:30-20:30 |
| | York Region 地区教育委員会 | Thornlee Secondary School | 土曜日 | 9:00-12:00 |
| | York Region 地区カトリック教育委員会 | St. Robert Catholic High School | 土曜日 | 9:00-12:00 |
| | Peel District 地区教育委員会 | Glenforest Secondary School | 土曜日 | 9:00-12:00 |
| | Ottawa-Carleton 地区教育委員会 | Gleve Collegiate Institute | 土曜日 | 9:00-12:00 |
| | Waterloo 地区カトリック教育委員会 | St. Louise Adult Learning and Continuing Education Centres | 水曜日 | 17:30-20:30 |

### 表３　コミュニティベースの日本語学習関係機関（トロント市周辺地区）

| 種別 | 機関名（創設年） | 地区教育委員会・地域 | 対象 | 備考 |
|---|---|---|---|---|
| 日本語学校 | トロント日本語学校（1949） | トロント | 4歳以上 | 継承語4クラス<br>成人クラス |
| | 国語教室（1976） | トロント | 4歳～中2・中高生 | 午前10レベル<br>アドバンスクラス |
| | 日加学園（1978） | トロント | 4歳～16歳 | 年35週<br>午前14クラス |
| | 日修学園（1986） | トロント | 4歳～中2 | 午前・午後（文化授業） |
| | れいんぼ～きっずくらぶ（日本語学習教室）（2006） | トロント・スカーボロ | 幼～小6 | |
| | ハルトン日本語教室ひまわり | ハミルトン・オークビル | 幼・小～成人 | 読み書き・計算 |
| | さくら日本語学校（2011） | キッチナー・ウオーター ルー | 4歳～小6 | Waterloo大学<br>Renison College<br>付属 |
| | キングストン日本語教室 | キングストン | 4歳～中2 | 水16:30-18:30 |
| | オタワ日本語学校（1976） | オタワ | 4歳～小6 | |
| | ロンドン森のまち日本語学校（2008） | ロンドン | 小学生 | 土9:00-12:00<br>4技能　体育 |
| 日本語幼児教室・プレスクール | つみ木能力開発教室（1997） | トロント | 0～12歳 | 幼児教育相談室併設 |
| | れいんぼ～きっずくらぶ“りとる“（幼児教室）（2006） | トロント・ドンミルズ | 乳幼児・幼児 | 親子クラス |
| | 大きなかえで木の下で（2005） | トロント・ミシサガ | 幼～小6 | 家族参加 |
| | 日本語うたの会（音楽とリトミックの会）（2005） | トロント | 0～6歳対象 | 家族参加 |
| | わらべうた:音楽とお話の会（2006） | トロント | 0～6歳対象 | 家族参加 |
| | いろはうた:ことば遊びの会（2012） | トロント | 2歳半～ | |
| | ひよこChickクラブ@Oakville | ハミルトン・オークビル | 0～6歳 | |
| | ひだまりクラブ | トロント | 親子料理教室他 | 家族向けサークル |
| | ハミルトン日系文化会館（CJCCH）子供 日本語サークル | ハミルトン | 3～5歳 | 家族参加 |
| | ロンドン森のまち日本語学校プレスクール | ロンドン | 0～3歳 | 父母のボランティア |
| プレイグループ・保育園・デイケア等 | あらたま（子育てサークル）（2009） | ミッドランド | 3歳児 | トロント日系福音教会 |
| | オタワ日系文化センター（OJCCC-OJCC）日本語プレイグループ | オタワ | 0～4歳 | 10:00-15:00 |
| | 池端ナーサリースクール（1992） | トロント | 1歳半～就学前 | オンタリオ州認可 |
| | リトルサンシャイン（2011） | トロント | 1.5歳～6歳 | |
| | こども園チャイルドケアセンター（2012） | トロント | 1.5歳～6歳 | |
| | スカーボロ保育の会 | トロント・スカーボロ | 4ヶ月～就学前 | ホームデイケア |
| | あさひデイケア | トロント・スカーボロ | 0～5歳対象 | |

表4　カナダの補習授業校（2018/2019年度）

| 州 | 学校名 | 在籍数 | | | | | 教科名 | 授業日 |
|---|---|---|---|---|---|---|---|---|
| | | 幼 | 小 | 中 | 高 | 合計 | | |
| アルバータ | エドモントン補習授業校 | 32 | 87 | 15 | 0 | 134 | 国語 | 金 17:45-20:45 |
| | カルガリー補習授業校 | 0 | 55 | 14 | 0 | 69 | 国語・算数 | 土 9:30-15:00 |
| | カルガリー・コミュニティスクール | 65 | 63 | 7 | 0 | 135 | 国語・算数 | 土 9:30-15:30 |
| オンタリオ | トロント補習授業校 | 80 | 348 | 116 | 44 | 588 | 国語・算数・理科・社会・生活科（小1/2） | 土 9:00-15:15 |
| | オタワ補習校 | 0 | 73 | 13 | 0 | 86 | 国語・算数 | 土 9:00-13:15 |
| ケベック | モントリオール日本語補習校 | 0 | 73 | 13 | 0 | 86 | 国語・算数・理科・社会・生活科（小1/2） | 土 9:00-15:30 |
| サスカチュワン | サスカチュワン日本語補習校 | 0 | 90 | 30 | 0 | 120 | 国語・算数 | 土 14:00-16:00 |
| ノーバスコシア | ハリファックス補習校 | 0 | 2 | 0 | 0 | 2 | 国語・算数 | 土 9:30-11:30 |
| ブリティッシュコロンビア | バンクーバー補習授業校 | 15 | 107 | 35 | 20 | 177 | 国語・算数・理科・社会・生活科（小1/2） | 土 8:50-15:00 |
| | 合計 | 192 | 898 | 243 | 64 | 1397 | | |

## 【参考文献】

Bale, J. (2010). International comparative perspectives on heritage language education policy research. *Annual Review of Applied Linguistics*, 30. 42-65.

Cummins, J. (1979). Linguistic Interdependence and the Educational Development of Bilingual Children. *Review of Educational Research,* 49(2), 222-251.

Cummins, J. (1991). Interdependence of first- and second-language proficiency in bilingual children. In Bialystok, E. (ed.), *Language processing in bilingual children*. Cambridge University Press.

Cummins, J. (2000). *Language, Power and Pedagogy-Bilingual Children in the Crossfire*. Multilingual Matters.

Cummins, J., M. Swain, K. Nakajima, J. Handscombe, D. Green & C. Tran. (1984). Linguistic Interdependence among Japanese and Vietnamese Immigrant Students. In Rivera, C. (ed.) *Communicative Competence Approaches to Language Proficiency Assessment: Research and Application*. Clevedon, UK: Multilingual Matters. 60-81.

Cummins, J. (2007). Rethinking monolingual instructional strategies in multilingual classrooms. *Canadian Journal of Applied Linguistics*, 10(2). 221-240.

Cummins, J., Swain, M., Nakajima, K., Handscombe, J., Green, D. and Tran, C. (1984). Linguistic Interdependence among Japanese Immigrant Students. In Rivera, C. (ed.) *Communicative Competence Approaches to Language Proficiency Assessment: Research and Application*. 60-81. Multilingual Matters.

Francis, N. (2000). The shared conceptual system and language processing in bilingual children. Findings from literacy assessment in Spanish and Náhuartl. *Applied Linguistics.* 21(2), 170-204.

Genesee, F., Geva, E., Dressler, C., Kamil, M.L. (2008). Cross-Linguistic Relationships in Second Language Learners. In D. August ‘ T. Shanahan (Eds.), *Developing Reading and Writing in Second Language Learners: Lessons from the report of the National Literacy Panel on language-minority children and youth*. Routledge, Center for Applied Linguistics and International Reading Association. 61-93.

Genesee, F., Lindholm-Leary, W., Saunders, M., Chiristian, D. (2006). *Educating English Language Learners: A synthesis of Research Evidence.* Cambridge University Press.

International Languages Educators’ Association (ILEA). (2017). *Financial Literacy in International Languages: Sample Tasks for the Classroom.*

Koh, P.W., Chen, X., Cummins, J. and Li, J. (2017). Literacy outcomes of a Chinese/English Bilingual Programme in Ontario. *Canadian Modern Language Review*. 73:3, 343-367.

Minami, M. (2003). Holding on to a native tongue: Retaining bilingualism for school-age children of Japanese heritage. *International Journal of Educational Policy, Research and Practice*. 4(2). 39-61.

Mori, Y. and Calder, T. (2013). Bilingual Vocabulary Knowledge and Arrival Age Among Japanese Heritage Language Students at Hoshuukoo. *Foreign Language Annals, Vol. 46, Issue 2.* 290-310.

Nakajima, K. (2001). The Construct of L1 and L2 Oral Proficiency among Portuguese-speaking Children in Japan. The Third Annual Conference of the Japanese Society for Language Sciences, *JSLS 2001*. 25-32.

Nakajima, K. (2016). Cross-lingual transfer from L1 to L2 among school-age children. In Shibatani & Kageyama (Eds.) *Introduction to the Handbook of Japanese Language and Linguistics*. 97-125.

Okamura, F. (1985). Mother tongue maintenance and second language learning: A case of Japanese children. *Language Learning*. 35, 63-89.

Oketani, H. (1997). Additive bilinguals: The case of post-war second generation Japanese Canadian youth. *Bilingual Research Journal*. 27, 359-379.

Ontario Education. (2012). Resource Guide: International Languages Elementary (ILE) Program. Revised Version.

Ontario Education. (2016). The Ontario Curriculum Grades 9 to 12 Classical language and international languages. Revised version.

Parekh, G., Flessa, J. and Smaller, H. (2016). The Toronto District School Board: A global city school system's structures, processes, and student outcomes. *London Review of Education*, Vol.14, No. 3, 65-84.

Paulson, C. (1980). *Bilingual Education: Theories and Issues*. Rowley, Mass: Newbury House.

Reese, l., Garnier, H. and Goldenberg, C. (2000). Longitudinal Analysis of the Antecedents of Emergent Spanish Literacy and Middle-School English Reading Achievement of Spanish-Speaking Students. *American Educational Research Journal*. Vol. 37, No.3. 633-662.

Toronto District Board of Education. (2015). 2015/1026 International Elementary and African Heritage Programs.

移民政策学会設立10周年記念論集刊行委員会（2018）『移民政策のフロンティア――日本の歩みと課題を問い直す』明石書店

海外子女教育振興財団（2019）『海外子女教育』No.529. 1月号

カミンズ、J.・中島和子（1985）「トロント補習校小学生の二言語能力の構造」『バイリンガル・バイカルチュラル教育との現状と課題：在外・帰国子女教育を中心に』東京学芸大学海外子女教育センター 141–179.

カミンズ、J.・中島和子訳・編・著（2011）『言語マイノリティを支える教育』慶應義塾大学出版会

片岡裕子・柴田節枝（2011）「国際結婚の子どもたちの日本語力と家庭言語：風説からの脱却と可能性に向けて」『JHL Journal』Vol. 4 www.aatj.org/resources/sig/heritage/enjournal/vol4.pdf

カナダ日本語教育振興会（2000）『子どもの会話力の見方と評価――バイリンガル会話テスト（OBC）の開発』カナダ日本語教育振興会

外務省（2018）『海外在留邦人数調査統計』平成30年度要約版

国際交流基金（2017）「海外の日本語教育の現状」国際交流基金編『2015年度 日本語教育機関調査』国際交流基金

近藤敦（2019）『多文化共生と人権――諸外国の「移民」と日本の「外国人」』明石書店

近藤ブラウン妃美・坂本光代・西川朋美編（2019）『親と子をつなぐ継承語教育――日本・外国にルーツを持つ子ども』くろしお出版

櫻井千穂（2018）『外国にルーツをもつ子どものバイリンガル読書力』大阪大学出版会
高橋和比古（2019）「Waterloo County Board of Education, International Language Schools – Japanese School」中島和子・鈴木美知子編著（2019）『継承語としての日本語教育――カナダの経験を踏まえて』カナダ日本語教育振興会 37-38.
佐藤郡衛（2012）「海外子女教育の新展開に関する研究プロジェクト報告書――新しい補習授業校のあり方を探る」東京学芸大学国際教育センター
斎藤憲司（政治議会調査室）（2012）「各国憲法集(4) カナダ憲法」国立国会図書館調査及立法考査局
ダグラス昌子（2019）「外国語学習者と継承語学習者の金剛日本語クラスでの指導」近藤・坂本・西川編著『親と子をつなぐ継承語教育――日本・外国にルーツを持つ子ども』くろしお出版 160-173.
トロント新移住者協会（2006）『トロント新移住者協会創立30周年記念誌』トロント新移住者協会
中島和子編著（2010）『マルチリンガル教育への招待』ひつじ書房
中島和子（2016a）「多言語環境で育つ年少者のバイリンガル作文力の分析――プレライティングと文章の構成を中心に」『日本語教育』164号 17-33.
中島和子（2016b）『バイリンガル教育の方法――12歳までに親と教師ができること（完全改訂版）』アルク
中島和子（2017）「継承語ベースのマルチリテラシー教育――米国・カナダ・EUのこれまでの歩みと日本の現状」『母語・継承語・バイリンガル教育（MHB）研究』第13号 1-32.
中島和子（2019）「定住二世児の継承語と日本語の関係とその評価」真嶋潤子編著『母語をなくさない日本語教育は可能か――定住二世児の二言語能力』大阪大学出版会 23-37.
中島和子・鈴木美知子編著（1997）『継承語としての日本語教育――カナダの経験を踏まえて』カナダ日本語教育振興会
中野友子（2017）「多様性に対応したブルックリン日本語学園での継承語教育の実践」『母語・継承語・バイリンガル教育（MHB）研究』第13号 33-61.
真嶋潤子編著（2019）『母語をなくさない日本語教育は可能か――定住二世児の二言語能力』大阪大学出版会

# ○カナダ継承語教育年表
## (1687-2019年)

| | 連邦政府 | ケベック州 | オンタリオ州 | 中西部三州 | ブリティッシュコロンビア州 |
|---|---|---|---|---|---|
| 1867 | ○イギリスの植民地であるカナダの基本法/憲法として、イギリスの議会が「英領北アメリカ法」(British North-America Act)を制定(カナダ自治領の結成) | | | | |
| 1870 | | | | ○マニトバ州連邦に加入 | |
| 1871 | | | | | ○連邦に加入 |
| 1877 | | | | | ○日本人の移民が始まる |
| 1906 | | | | | ○「挽香坡共立国民学校」設立 |
| 1919 | | | | | ○「挽香坡日本共立語学校」に名称を変更 |
| 1923 | | | | | ○「加奈陀日本語学校教育会」が発足 |
| 1928 | | | | | ○「日系人会館並びに挽香坡日本共立語学校」に改名(生徒数600名) |
| 1937 | | | ○報告書「1937 Program of Studies(学習指導要綱)」 | | |

| | | | | | |
|---|---|---|---|---|---|
| 1941 | | | | | ○日系人強制収容所へ移動<br>○日本語学校強制閉鎖（54校、閉鎖までの卒業生3000名） |
| 1944 | ○国連憲章に署名 | | | | |
| 1948 | ○世界人権宣言に署名 | | | | |
| 1949 | | | ○トロント日本語学校再開 | | ○日系カナダ人の市民権回復<br>○リッチモンド日本語学校再開 |
| 1950 | | | | | ○バンクーバー日本語学校を再開（仮校舎、生徒140名） |
| 1952 | ○新移民法発令 | | ○移住者のためのESLプログラムの提供 | | |
| 1960 | | ○「静かな革命」（経済改革・教育省設置・教育改革）始まる | ○「ホープ報告」（ESLの整備／多文化主義政策） | | |
| 1962 | ○移民法改正（人種制限を排除） | | | | |
| 1963 | ○二言語・二文化主義（B&B）王立委員会発足 | | | | |
| 1964 | | ○バラン審議会の教育改革立案報告書（学校教育の単線化等） | | | |

| | 連邦政府 | ケベック州 | オンタリオ州 | 中西部三州 | ブリティッシュコロンビア州 |
|---|---|---|---|---|---|
| 1965 | | ○フレンチイマージョンプログラムがモントリオールのセント・ランバート校で幼稚部26名で開始 | | | |
| 1966 | | ○初等・中等・大学教育制度を規程 | | | |
| 1967 | ○カナダ教育大臣協議会（Council of Ministers of Education, Canada）が組織される | | | ○G7-9で外国語を教科として必修とする、その後小学校でも継承語が教科となる（サスカチュワン州） | |
| 1969 | ○「公用語法」成立。英語と仏語を連邦議会・政府の公用語とする | | | | |
| 1970 | ○「教育における公用語プログラム」の推進に連邦政府が支援 | ○民間の土曜・放課後の「民族言語プログラム」（PLE）に州が支援（教室借用料等） | ○文化的多様性に対する作業部会が発足<br>○イタリア語幼稚園移行型バイリンガルプログラム開始 | | |
| 1971 | ○トルードー首相が下院で「二言語の枠組みの中の多文化主義政策」を宣言<br>○連邦多文化主義局（Multicultural Directorate）を設置 | | ○多文化主義に対する諮問委員会発足<br>○移行的バイリンガルプログラムがイタリア語・広東語・ポルトガル語で始まる | ○教育法の改正。英仏語以外の言語を授業言語とすることが可能になる（アルバータ州） | |

| | | | | | |
|---|---|---|---|---|---|
| 1971 | ○研究調査『非公用語の研究』(1976)と『マジョリティカナダ人の態度の研究』(1977)を委託 | | | | |
| 1972 | ○多文化主義政策担当大臣を任命<br>○政策プラン「先住民教育は先住民の手で」を発表 | | ○トロント市教育委員会との継承語論争が始まる | | |
| 1973 | ○多文化主義カナダ諮問委員会を設置 | | | | |
| 1974 | | ○すべての商品名に英仏二言語の記載を義務付ける法令「州公用語法」が成立<br>○仏語を州の唯一の公用語とする | ○「多文化プログラム作業部会」が発足 | ○継承語を1言語とするバイリンガルプログラムを州の財政的援助で開始(アルバータ州) | ○「ブリティッシュコロンビア州日本語教育振興会(JALTA)」の発足 |
| 1975 | | | ○「多文化プログラム作業部会」が報告書の草案を提出 | ○カルガリー日本語学校がヘリテッジランゲージ校として登録、州の支援を受ける(アルバータ州) | |
| 1977 | ○連邦多文化局の「多文化促進プログラム」(Cultural Enrichment Program)による民間継承語プログラムへの援助を開始(運営費の10%まで) | ○「フランス語憲章」(法案101号)制定。仏語を州の'normal language'とする。<br>○継承語・継承文化教育(PELO)発足 | ○オンタリオ州継承語プログラムの発表(年間80時間、週2.5時間、生徒25人に対して教師1人分の給与が州から支給される)<br>○民間による継承語プログラムは、ほぼ全額親が負担 | ○継承語教師会(International & Heritage Languages Teachers' Association)発足(アルバータ州)<br>○9言語で授業時間内の継承語プログラムを開始(マニトバ州) | |

| | 連邦政府 | ケベック州 | オンタリオ州 | 中西部三州 | ブリティッシュコロンビア州 |
|---|---|---|---|---|---|
| 1978 | | | ○「オタワ日本語学校」の発足 | ○教育法を改正してバイリンガル教育を可能にする（サスカチュワン州） | |
| 1979 | | ○学校教育政策の実施計画<br>○カナダ最高裁がケベック州のフランス語憲章を違憲と判定<br>○「モントリオール日本語センター」の発足 | | ○教育法を改正してバイリンガル教育を可能にする（マニトバ州） | |
| 1980 | | | ○オールタナティヴ・スクール（Alternative School）をウクライナ語とアルメニア語で開始 | | |
| 1981 | ○先住民会議を開催 | | | ○「多文化・多言語会議」を開催（サスカチュワン州） | |
| 1982 | ○カナダ憲章（The Constitution Act）が英国議会の承認を得て発動<br>○憲法に少数言語教育権（23条）が明記される | | ○作業部会報告書の中で、授業時間内の継承語プログラムとバイリンガル・トライリンガルプログラムを勧告<br>○この勧告に対して世論を二分する激しい論争が起こる | | |
| 1983 | | ○改定「公用語法」を上程 | ○トロント市の学校教員が継承語を授業時間内に教える統合プログラムに | | ○私立校ではバイリンガルプログラムが可能で、ロシア語と英語、 |

| | | | | | |
|---|---|---|---|---|---|
| | | | 反対し、課外活動をボイコットする | | ヘブライ語と英語等のプログラムなどがあった。 |
| 1984 | ○オタワで継承語研究者会議を開催 | | ○国立継承語リソースセンターをトロント大学教育大学院（OISE）に設置 | | |
| 1985 | | ○委員会報告「ケベック州の学校と文化コミュニティ」 | ○人種問題に関わる州の諮問委員会が発足 | | |
| 1987 | ○「ミーチレーク協定」成立。マルーニー首相（連邦）と全州の首相がケベックの要求に大幅に譲歩した憲法修正案に合意（３年以内の全州批准が条件） | ○教育省に文化コミュニティ担当課を設置（移住者問題等を担当） | ○『行動への提案──オンタリオ州継承語プログラム』を刊行して教育省が強化プラン「５つの施策」を提示。 | | ○教員免許に関する法律を改正<br>○民間継承語学校に連邦政府が支援（140 プログラム、26 言語、在籍生１万 4950 人で、州の財政的援助はなし） |
| 1988 | ○「カナダ多文化主義法」（Canada Multiculturalism Act）の成立<br>○カナダ政府が日系カナダ人に謝罪・補償<br>○先住民全国組織であるファーストネーションズの教育宣言 | ○「公教育法」を全面的に改正（宗派別設置を廃止し、言語別に再編） | ○教育委員会に継承語プログラム実施を義務付ける<br>○「全国継承語教師大会」をトロント大学/OISEで開催<br>○「カナダ日本語教育振興会（CAJLE）」（全国組織）の発足 | ○『アルバータ州の言語教育政策』（Edmonton Bill C-93）を発動、公用語以外の言語教育を制度化する（アルバータ州）<br>○民間の継承語学校に州政府が財政援助<br>○カナダ継承語研究所（Canadian Heritage Languages Institute）の設立計画の発表 | ○サリバン報告書「学習者へのレガシー（A Legacy for Learners）」（私立校への公的支援についての提言） |

| | 連邦政府 | ケベック州 | オンタリオ州 | 中西部三州 | ブリティッシュコロンビア州 |
|---|---|---|---|---|---|
| 1989 | ○連邦政府の民間継承語学校への教員給与型支援が打ち切られる | ○PELOをPELCOに変更（年間100時間、教員給料・教材費を州が負担） | ○継承語プログラムの実施開始<br>○『継承語のカリキュラムガイドラン』の発刊 | ○『サスカチュワン州の多文化主義政策』で継承語教師養成と資格認定プログラムを勧告<br>○「マニトバ日本語学校」の発足（マニトバ州） | ○学校教育法改正<br>○「独立学校法」の成立<br>○教育省が「BCの学校教育制度の責任」を発表 |
| 1990 | | ○「就学前・初等教育制度に関する規定」 | ○Ontario Education Act（オンタリオ教育法）の制定（授業言語は英語と仏語のみで、継承語は認められなかった） | ○「カナダ継承語研究所」設置への援助を停止（アルバータ州）<br>○調査 “Year 2000” で継承語教育に対して11箇条の進言（サスカチュワン州） | |
| 1991 | | ○教育省の文化コミュニティ担当課が文化コミュニティ担当部に昇格 | ○継承語を高校単位とするPLARの開発 | ○PLARの開発 | |
| 1992 | ○カナダ多文化主義・シティズンシップ省と遺産省（Multiculturalism Canada）をシティズンシップ省と移民省（Citizenship & Immigration Canada）と遺産省（Department of Heritage）に再編成 | ○公教育法改正 | ○「継承語のためのジェネリックカリキュラム」（The Generic Curriculum for Heritage Language Program）の草案発表 | ○学校教育法の改正（マニトバ州）<br>○「リジャイナ日本語学校」の発足（サスカチュワン州） | |

| | | | | | |
|---|---|---|---|---|---|
| 1993 | | | ○手話が州の授業言語として加わる<br>○ The Metropolitan Toronto Board が「継承語」から「国際語」に名称を変更<br>○「ルイス報告書」（Ontario Common Curriculum の導入） | ○「基礎教育協力における西部カナダ協定」締結 | ○州の多文化主義法を制定<br>○教育省「ブリティッシュコロンビア州の教育の質の改善」を発表 |
| 1994 | | ○ケベック教員組合が『異文化間教育政策』を発表 | ○カナダ日本語教育振興会による現職継承語教師研修会（全国大会）の開催 | | ○学校教育法の改正<br>○英語以外の言語に関する言語教育政策を策定<br>○ PLAR を開始 |
| 1995 | | ○州民投票でケベック州の独立を僅差で否決<br>○教育省文化コミュニティ担当部による多民族文化地域の学校における父母との連携プロジェクト | ○初等部国際語プログラムのためのリソースガイドの発刊<br>○「オンタリオ州の教育の新しい基盤」を発表（反人種差別主義政策の撤廃） | ○多文化主義委員会が継承語プログラムへの援助を打ち切る（アルバータ州）<br>○チャータースクールを認可<br>○ G10-12 日本語カリキュラムスタンダードの認定<br>○「南アルバータ日本語教師会」の発足（アルバータ州） | ○フランス語を必修から外す |
| 1996 | | ○フランス語振興法「成功に向けて舵を取る」制定 | ○ EQAO（教育の質とアカウンタビリティ事務局）を設置 | ○多文化主義委員会を解散（アルバータ州） | ○フランス語系教育行政局を設置 |
| 1997 | ○カナダ憲法の第93条（教育に関わる立法）の改正。第1項から第4 | ○教育省『未来の学校』（移住者の学校教育における統合、異文化間 | ○『教育における卓越――オンタリオ教育改革計画』を発表 | | |

| | 連邦政府 | ケベック州 | オンタリオ州 | 中西部三州 | ブリティッシュコロンビア州 |
|---|---|---|---|---|---|
| | 項までケベック州では除外 | 教育に関する政策）を発表<br>○教育法の大幅な改正 | ○カナダ日本語教育振興会が『継承語としての日本語教育――カナダの経験を踏まえて』を発刊 | | |
| 1998 | ○全国教育担当大臣合同宣言『21世紀に向けての教育優先課題――今後の方針』（ビクトリア宣言）<br>○「全国識字戦略」を発表（1億1000万ドルを５年間投資）<br>○先住民言語プログラムの開始（運営は先住民諸団体に委託） | ○教育委員会を宗教別、言語別に再編成 | ○初等部新教育課程の実施<br>○「二重言語ショーケース」（Dual Language Show-case）プロジェクトの開始 | | ○学校教育法の改正 |
| 1999 | ○ヌナブット準州の創設<br>○先住民教育助成のための「教育改革基金」の設置 | | ○中等部新教育課程の実施<br>○ PLARが発足して国際語が高校の単位となる<br>○カナダ日本語教育振興会が『子どもの会話力の見方と評価――バイリンガル会話テスト（OBC）の開発』を発刊 | ○ Alberta Education から Alberta Learning に名称を変更<br>○カルガリー教育委員会が継承語バイリンガルプログラムを開始（中国語、ドイツ語、スペイン語）（アルバータ州） | |
| 2000 | | ○『就学前教育・初等・中等教育に関する教育制度』を発刊 | | | ○共通標準テスト（Fundamental Skills Assessment、FSA）をG4/G7/G10に導入 |

| | | | | | |
|---|---|---|---|---|---|
| 2001 | | ○小学校学習指導要領を発表 | ○首相『納税者への報告書――障害者のための学習』を発表 | ○学校教育法の改定 | ○政策文書『BCの学校における多様性』を発表 |
| 2002 | | ○教育省政策文書『教育の国際化に関する教育』を発刊 | ○「教育平等タスクフォース」報告書（33項目の提言） | ○英語の教育課程の改定（アルバータ州） | ○教育省と高等教育省の再編成 |
| 2003 | | ○「2005年の地平線――変容する中等学校――ケベックの生徒のために」を発表 | ○『教育におけるオンタリオ州の規則』を発刊 | | |
| 2006 | ○中国系カナダ人に人頭税を課したことに対して謝罪 | | | ○G4-12の第二言語選択を必修化（アルバータ州） | |
| 2007 | | | | ○G4-12第二言語学習の必修化の検討を中止（アルバータ州） | |
| 2009 | | | ○ハミルトン市とウインザー市で、アラビア語、マンダリンを1言語とする「移行型バイリンガルプログラム」を導入 | | |
| 2010 | | | ○全日制幼稚園教育を発足 | | |
| 2012 | | | ○トロント市の4校の継承日本語学校が総領事館賞を受賞 | | ○中等教育の日本語学習者減少（2000人以上）<br>○州が日系カナダ人に対して謝罪 |

| | 連邦政府 | ケベック州 | オンタリオ州 | 中西部三州 | ブリティッシュコロンビア州 |
|---|---|---|---|---|---|
| 2013 | | | | | ○バンクーバー市が日系カナダ人に対して謝罪 |
| 2016 | ○先住民言語法（Indigenous Languages Act）の制定 | | | | |
| 2019 | | | | | ○国際先住民族言語年に合わせて、カナダのファースト・ピープル（先住民）文化財団が、国際先住民族言語会議を開催（6月） |

# 索引

## ●事項●

（サ行）

（マ行）



（ヤ行）



（ラ行）

## ●人名●

## ○著者紹介

**ジム・カミンズ**（Jim Cummins）

アイルランド、ダブリン出身。現在トロント大学オンタリオ教育大学院名誉教授。バイリンガリズム，バイリンガル教育関係の著書多数。主著は *Language, Power and Pedagogy: Bilingual Children in the Crossfire* (Multilingual Matters), *Negotiating Identities: Education for Empowerment in a Diverse Society* (California Association for Bilingual Education), *Literacy, Technology, and Diversity: Teaching for Success in Changing Times* (Pearson, with Kristin Brown and Dennis Sayers), *Identity Texts: The Collaborative Creation of Power in Multilingual Schools* (Trentham Books, with Margaret Early), *Big Ideas for Expanding Minds: Teaching English Language Learners across the Curriculum* (Rubicon/Pearson Canada, with Margaret Early)。

**マルセル・ダネシ**（Marcel Danesi）

イタリア、ルカ出身。現在トロント大学意味論・言語人類学教授。言語学習，コミュニケーション理論，意味論関係の著作多数。著書に *Vico, Metaphor and the Origin of Language* (Indiana University Press), *Cool: The Signs and Meanings of Adolescence* (University of Toronto Press), *Analyzing Cultures* (Indiana University Press)（共著）, *The Forms of Meaning* (Mouton de Gruyter)（共著）, *The Semiotics of Emoji: The Rise of Visual Language in the Age of the Internet* (Bloomsbury Academic) 他多数。

## ○訳者紹介

**中島 和子**（なかじま かずこ）

国際基督教大学語学科卒業、同大学院（M.A.）、トロント大学大学院（Phil.M.）。トロント大学東アジア研究科教授、名古屋外国語大学教授を経て、現在トロント大学名誉教授。カナダ日本語教育振興会名誉会長、母語・継承語・バイリンガル教育（MHB）学会名誉会長、バイリンガル・マルチリンガル（BMCN）子どもネット研究会代表。著書に『完全改訂版 バイリンガル教育の方法』（2016 アルク）、『マルチリンガル教育への招待』（2010 ひつじ書房）他。

**高垣 俊之**（たかがき としゆき）

上智大学文学部卒業、国際基督教大学大学院（M.A.）、ペンシルベニア州立インディアナ大学大学院（Ph.D）。トロント大学客員研究員（2001－2002年）を経て、現在、尾道市立大学芸術文化学部教授。専門は応用言語学と英語教育。著書に『英語の習得と使用――バイリンガリズムの視点から』（2014 渓水社）他。

新装版　カナダの継承語教育
――多文化・多言語主義をめざして

2005年5月20日　初　版第1刷発行
2020年7月10日　新装版第1刷発行

著　者　ジム・カミンズ
　　　　マルセル・ダネシ
訳　者　中島和子
　　　　高垣俊之
発行者　大江道雅
発行所　株式会社 明石書店
〒101-0021 東京都千代田区外神田6-9-5
電　話　03（5818）1171
ＦＡＸ　03（5818）1174
振　替　00100-7-24505
http://www.akashi.co.jp
装丁　明石書店デザイン室／印刷・製本　モリモト印刷株式会社

（定価はカバーに表示してあります）　ISBN978-4-7503-5030-1